ASSiMiL évasion

LANGUES
ASSiMiL
DE POCHE

Mise en Page : **M&S STUDIO** Varsovie

N° d'édition : 1276

© Assimil 1996

ISBN 2-7005-0202-7

La version originale de cet ouvrage est parue en allemand sous le titre : **"American Slang, das andere Englisch"** , aux éditions Reise Know-How Verlag Peter Rump GmbH, Bielefeld.

Copyright Peter Rump.

ASSiMiL évasion

l'Américain sans interdits (argot américain)

d'après Renate Georgi-Wask et Anette Linnemann
adaptation française de Martine Farina

ilustrations de J. L. Goussé

B.P. 25
94431 Chennevières-sur-Marne Cedex
FRANCE

SOMMAIRE

Gros mots et insultes en tous genres

Quand le sexe s'en mêle

Avertissement

Avant que vous ne vous jetiez avidement dans la lecture de cet ouvrage, nous vous demandons une minute d'attention : Imaginez que cette petite chose que vous avez entre les mains vient de vous être livrée dans une caisse. En personne sensée et prudente, vous vérifiez l'emballage. Sur un large bandeau, en lettres gigantesques, figure la mention : "Danger ! Contient des matériaux explosifs. À manipuler avec précautions". Voilà, maintenant, vous pouvez ouvrir. On vous aura prévenu !

Cependant, ne vous réjouissez pas trop vite, car tout n'est pas explosif dans ce livre (nous tenons trop à notre réputation...). Et sachez aussi que les termes grossiers, injurieux, désobligeants ou péjoratifs que vous y trouverez ne reflètent en rien - cela va sans dire - notre langage quotidien et que nous ne tenons pas du tout à voir leur usage se développer et se généraliser. Notre seul objectif est de vous faire rencontrer, pour que vous sachiez les reconnaître, quelques termes de cet "autre langage" qu'est l'argot, parce que vous serez appelé à l'entendre au cours de vos voyages, dans la rue, dans les films, dans les écrits et dans la vie de tous les jours... et qu'il est donc important de le comprendre. Bien sûr, leur liste est loin d'être exhaustive.

Que trouverez vous dans ce livre ?

Vous serez étonné par son éclectisme : en effet, loin de constituer exclusivement un recueil d'argot, il est avant tout un guide linguistique pour la vie de tous les jours.

Dans sa première partie, il vous propose des listes de mots utiles et d'expressions familières pour faire face sans problème aux situations courantes : dans les magasins, à la station service, à la banque, au restaurant, etc. Il vous donne également un aperçu des spécificités linguistiques de l'américain - comme son goût immodéré pour les abréviations, par exemple -, des modes de vie différents des nôtres, etc.

Dans la seconde partie, - à réserver aux adultes -, il aborde carrément "l'autre langue", cette langue terriblement riche et imagée qu'est l'argot américain.

Attention ! Un mot peut en cacher un autre : tout comme en français, selon le contexte, la personne à laquelle il s'adresse, ou la façon dont il est prononcé, le même mot peut prendre une connotation tout à fait différente.

Nous nous sommes efforcés, chaque fois que cela était possible, de respecter le même niveau de langage. Et comme "prudence est mère de sûreté", nous avons pris la précaution d'assortir les expressions vraiment très osées d'un 💣. Par ailleurs, lorsque nous nous contentons - toujours par prudence - de n'indiquer qu'une traduction littérale, nous la faisons figurer en italiques.

Vous trouverez enfin dans l'annexe de ce livre un lexique anglais de tous les mots et expressions de l'ouvrage classés par ordre alphabétique. Le numéro des pages indiqué après chaque mot renvoie à la - ou aux - rubrique(s) où il a été cité et traduit. Pour les expressions, c'est le mot-clé qu'il convient de chercher (ex : "Life is a bitch" est classé sous le mot "bitch" et renvoie à la page correspondante).

On abrège...

Les Américains prennent beaucoup plus de liberté que leurs cousins britanniques avec leur langue commune. Ils affectionnent tout particulièrement les abréviations et se plaisent à former des mots nouveaux que les non initiés ont beaucoup de mal à saisir. Peu répandues dans la littérature, mais de plus en plus présentes dans le langage parlé, ces expressions trouvent leur place notamment dans les slogans publicitaires.

Si vous voyez écrit **U2**, ne pensez pas qu'il s'agit d'un code secret ou d'un rébus ; cela signifie simplement **you two**... En effet, vous verrez souvent écrit **u** au lieu de **you**, ou **X-mas** pour **Christmas.** Le principe consiste à écrire ce que l'on entend en allant au plus court ; ne vous étonnez pas, par exemple, de voir **"Room 4 rent"** sur une annonce ; il ne s'agit nullement d'un numéro de chambre, mais bien d'une offre de location : **"Room for rent"**. Simple, non ?

Il existe un autre type de "mutation" qui consiste à ajouter **-ish** à certains mots, notamment aux adjectifs. Ainsi, **green** deviendra **greenish**, "verdâtre" Jusque-là, nous savons le faire. Mais sachez qu'on trouve aussi **sevenish** - aux environs de sept heures, ou **he is fortyish** - il a la quarantaine. Admirez cette souplesse !

Vous serez étonné du nombre et de la diversité considérables de ces "créations", mais vous verrez que vous en saisirez très vite le sens, une fois le mécanisme acquis.

Vous serez également confronté, lors de vos voyages aux États-Unis, avec les "raccourcis", que nous connaissons bien nous aussi, du type : "Qu'est-s'qu'y dit ?", ou "Tu peux m'donner un coup d'main, s'te plaît ?". Bien sûr, ces raccourcis abondent surtout dans le langage parlé, mais on les trouve aussi à l'écrit dans les bandes dessinées... Pour vous permettre de vous y retrouver, nous vous proposons un tableau qui reprend les principales expressions de ce type :

nope	*no*	non
yup	*yes*	oui
gimme	*give me*	donne-moi
gotta	*have got a /to*	avoir à, devoir
lotta	*lot of*	beaucoup de
sorta, kinda	*sort of, kind of*	sorte de, espèce de
kida cute	*kind of cute*	assez mignon
watcha	*what are you*	ex : "what are you" doing ?
gonna	*going to*	ex : I am "going to" see
wanna	*want to*	vouloir
didya	*did you*	as-tu (fait, etc.) ?
wouldya	*would you*	pourrais-tu ?
gotcha	*I've got you*	je (te) comprends
ain't	*isn't, am not*	n'est pas, ne suis pas
'cuz	*because*	parce que
iffy	*if*	incertain, aléatoire
whatdya	*what do you (want)?*	que veux-tu ?
fridge	*refrigerator*	frigo (réfrigérateur)
bro, sis	*brother, sister*	frère, sœur
granny	*grandmother*	grand-mère
gramps	*grandfather, grandparents*	grand-père, grands-parents
mom	*mother*	mère
dad	*father*	père
cuz	*cousin*	cousin

I'm iffy about it.	Je n'en suis pas sûr.
Whatchamacallit?	Comment ça s'appelle ?
Whatshisname?	Comment s'appelle-t-il ?
Whatshisface?	Qui c'est, ce type ?

WATCHA GONNA DO?

... Et pour en finir avec ce chapitre, nous vous livrons quelques abréviations "authentiques" que vous rencontrerez très souvent :

B.Y.O.B. = **Bring your own beer/booze**
(précision très utile pour une fête)

R.S.V.P. = Répondez s'il vous plaît... (Celui-ci, vous le comprenez, puisqu'il vient directement de chez nous.) Les Américains l'ont adopté et le comprennent comme voulant dire : **call if you can't make it.**

T.G.I.F. = **Thank God it's Friday!**
Enfin le week-end !

T.G.I.F.!

Across USA

En voiture !

Comme chacun sait, la voiture est l'enfant chéri des Américains. Pas étonnant, donc, que le réseau routier soit largement plus dense que le réseau ferroviaire !

Chaque localité des États-Unis est desservie par des **high-** ou **freeways** (autoroutes). La vitesse - **to move at a good clip** - est très réglementée et limitée à 55 ou 60 mph (miles/heure), c'est-à-dire à 90 ou 100 km/h. Celui qui roule avec un "pied de plomb" **(lead foot)** ou à fond la caisse **(Floor it!)** ne doit pas s'étonner si un **cop** (flic) lui demande d'appuyer sur le frein **(to lay on the brakes).**

Un peu de vocabulaire :

• **interstate (abrév. : I)**	autoroute
• **intersection, crossing**	croisement, carrefour
• **shortcut**	raccourci
• **yield!**	cédez la priorité
• **Step on it! Press on!**	Appuie sur le champignon !
• **to honk the horn / to beep / to toot**	klaxonner
• **(car) registration**	carte grise
• **(driver's) license**	permis de conduire
• **to hang a right / left**	tourner à droite / à gauche
• **to pull up to (the garage)**	se garer (au garage)

Panne sèche !

Eh oui ! Ça arrive partout ! Direction : **Gas station** (station-service) la plus proche. **Garage** et **repair shop** désignent un garage, mais aussi un parking.

• **To run out of gas**	tomber en panne sèche
• **Fill'er up!**	Le plein s'il vous plaît !
• **Ten dollars' worth**	Pour dix dollars
• **(unleaded) gas**	essence (sans plomb)
• **Super** *(or)* **Extra**	super
• **mini-serve**	uniquement station d'essence
• **full-serve**	station proposant d'autres services, plus chère

To hitch a ride ou **to thumb a ride (thumb** = pouce) signifie "faire du stop". Comme partout, les automobilistes ont de plus en plus peur de prendre des autostoppeurs. Toutefois, si vous n'avez pas trop l'air d'un **hitch-hiker** (stoppeur) "des grands chemins", vous avez de bonnes chances de voir quelqu'un s'arrêter.

● **to hit the road / to get going**	démarrer, prendre la route
● **to give someone a ride / lift**	emmener (quelqu'un) en voiture
● **Where are you headed?**	Dans quelle direction allez-vous ?
● **Where do you wanna be dropped off?**	Où voulez-vous que je vous dépose ?

To ride shotgun (sans doute dans le temps voyageait-on avec un fusil...!) veut dire : "être assis à côté du conducteur, pour ne pas dire... à la place du mort. Un **backseat driver** est un passager qui abreuve sans cesse le chauffeur de ses conseils (Osez dire que vous n'en connaissez pas !).

● **my wheels**	ma bagnole, ma caisse
● **station wagon**	break
● **hatch back**	hayon (fourgonnette)
● **a low rider**	grosse voiture de ville, confortable, avec suspension hydraulique
● **convertible**	cabriolet
● **hard top**	hard-top (toit rigide escamotable)
● **rag top**	capote
● **sun roof**	toit ouvrant
● **a classic**	voiture des années 50 ou plus anciennes
● **a hot rod**	bolide, voiture "gonflée"

● **gas guzzler**	voiture qui consomme énormément
● **van**	van
● **bus, VW van**	mini-bus, van
● **bomb, lemon, old clunker, heap**	vieux rossignol
● **designated driver**	le conducteur qui a été désigné pour ne pas boire
● **wheel sucker**	celui qui s'accroche au volant
● **tail gator**	celui qui se colle à votre pare-choc

To truck voulait dire à l'origine "échanger, négocier". Le **truck** désignait le moyen de locomotion avec lequel le paysan transportait ses produits au marché. Les petits poids-lourds sont des **trucks**, les camions à plateau ouvert sont des **pick-up trucks.** **To truck** signifie aujourd'hui "transporter". Les énormes poids-lourds sont appelés **trucks**, mais aussi **semi** (semi-remorques), et leur remorque **trailer**. L'ensemble arrive parfois à 18 roues **(18-wheeler)** ! Au volant de ces **highway monsters** qui brillent de tous leurs chromes, on trouve les fameux **truckers**.

Greyhound & Trailways

Ce sont les deux compagnies d'autocars les plus connues. Elles desservent toutes les grandes villes, mais pas nécessairement tous les lieux touristiques.

● **bus fare**	prix (du trajet)
● **transfer ticket**	billet pour la navette
● **to transfer**	changer (correspondance)
● **ticket window**	guichet de vente des billets
● **round trip ticket**	billet aller-retour
● **window seat**	place près de la fenêtre
● **aisle seat**	place sur le couloir

16

● **coach**	autocar
● **Now boarding!**	Tout le monde en voiture !
● **cab, yellow cab**	taxi (consignes : s'asseoir à l'arrière, donner 15 à 20 % de pourboire)
● **to hail a cab**	appeler un taxi
● **cabbie**	conducteur de cab / taxi

Apprenez qu'un **jaywalker** est un imprudent qui traverse en dehors des passages pour piétons !

Sachez aussi que dans le **subway** de New-York, on n'achète pas de tickets, mais des **tokens** : ce sont des jetons que l'on jette dans le tourniquet **(turnstile). Token** veut aussi dire "signe, souvenir".

Un panneau de signalisation portant l'inscription **ped-Xing** indique un **pedestrian crossing** (passage piétons). **Thru-way (through way)** désigne une voie express ou une autoroute.

... Et pour ceux qui ne veulent emprunter absolument aucun moyen de transport, il existe toujours la possibilité de s'adonner au **hiking** (randonnée, escalade) : Aux États-Unis, beaucoup de paysages vierges de toute trace humaine vous y invitent.

To be on the hoof signifie "se déplacer à pied".

Je mets ça sur votre compte ?

Money, money, money... **"Money makes the world go round"** prend pleinement son sens aux États-Unis, probablement plus que partout ailleurs. Même si "argent" ne veut pas toujours dire "liquide" **(cold hard cash)**, dans les magasins on vous posera souvent la question : **"Cash or charge?"** (vous payez en espèces ou par carte de crédit ?).

● **bucks**	dollars
● **big bucks**	"richard", "plein aux as"
● **a grand**	mille dollars

17

● dough	flouze, pèze
● moolah, dinero, bread, loot	fric, pognon, pépettes, tunes
● Susan B. Anthony Dollar	pièce de 1 dollar (pratiquement disparue)
● dollar bill, buck	dollar (billet)
● fin, five spot	billet de cinq dollars
● quarter	pièce de 25 cents
● dime	pièce de 10 cents
● nickel	pièce de 5 cents
● penny	pièce de 1 cent
● change, small change	petite monnaie
● cream	pot-de-vin
● to have cash on hand	avoir du liquide sur soi
● to cash a check	encaisser un chèque
● to bounce a check	ne pas encaisser un chèque (en bois)
● to be loaded	être plein aux as
● to be broke	être fauché
● to be busted	être à sec
● easy money	argent facile
● to leach dollars off someone	mendier, faire la manche
● to be a leach	être un mendiant
● to be cheap, to be tight	être radin
● a cheapskate	un radin

La fièvre acheteuse

Vous trouverez dans les supermarchés américains la même cohue que chez nous. Vous ne serez donc pas dépaysé ! Apprenez à comprendre quelques panneaux :

● generic products	produits génériques (sans marque)

● **bulk food**	produits alimentaires en vrac, non conditionnés
● **junk food**	cochonneries (sur le plan alimentaire)
● **hot-selling item**	article qui se vend bien
● **a good deal / bargain**	une bonne affaire
● **on sale**	offre spéciale
● **budget department**	rayon des bonnes affaires
● **sale**	soldes
● **savings**	économies
● **express lane : 8 items or less**	caisse rapide : moins de... 10 articles
● **cash only**	argent liquide uniquement
● **check-out / register**	caisse

Ne soyez pas étonné, en arrivant à la caisse, de voir un **bag boy / box boy** ou **box person** emballer vos produits dans des sacs. Il vous épargnera cette tâche... moyennant pourboire, bien entendu : **"Baggers are only working for tips"**.

● **Shoplifters will be prosecuted!** Les voleurs seront poursuivis !

● **3-item limit** signifie que l'on ne peut emporter que trois articles dans la cabine d'essayage.

● **drugstore** :   On y trouve des médicaments, des produits cosmétiques, des sucreries, des vêtements, des disques, et... tout ce qu'on veut, et le reste.

● **convenience store** : magasin de quartier qui reste ouvert tard le soir. Exemple : la chaîne des épiceries **7-11 (seven eleven)** qui sont assez chères, mais restent ouvertes 24 heures sur 24.

● **deli**, (delicatessen) : épicerie/charcuterie/traiteur (pas trop cher) que l'on trouve dans les grandes villes.

19

- **hardware store** : quincaillerie.

- **department store** : grand magasin.

- **The Mall** : grand centre commercial regroupant de nombreux magasins, cinémas, restaurants. C'est le point de rencontre traditionnel des jeunes.

- **liquor / package store** : magasin où l'on vend des boissons alcoolisées, mais où l'on trouve souvent également de la nourriture.

- **thrift shop, junk store** : magasin spécialisé dans la vente d'articles d'occasion ou de camelote.

- **mart** : supérette.

On voit souvent dans les restaurants et les **deli** l'inscription **kosher food**, qui indique que la nourriture est casher.

- **State Sales tax** : pourrait se comparer à notre TVA. Attention ! Dans presque tous les États (sauf dans l'Orégon et l'Alaska, entre autres), les prix sont indiqués hors taxes, la taxe locale étant ajoutée à la caisse.

- **to return something**	rendre quelque chose
- **to exchange something**	échanger quelque chose
- **rebate**	rabais, réduction
- **deposit**	consigne, et aussi acompte
- **proof-of-purchase**	ticket de caisse
- **receipt**	reçu
- **sales clerk, sales person**	vendeur, vendeuse
- **cashier**	caissier

• **to go on a beer run**	aller acheter des quantités de bière (souvent dans un autre État où le prix de la bière - ou l'âge minimum requis pour en boire - sont moins élevés.)
• **to go on a food run**	aller faire les courses
• **a ripoff**	arnaque, attrape-nigauds
• **to brown-bag it**	emporter son "manger" au travail
• **to wait / stand in line, to line up**	faire la queue
• **billboard**	panneau publicitaire
• **tourist trap**	piège à touristes
• **Shop 'til you drop!**	Faites vos courses avec plaisir toute la journée ! (litt. *achetez jusqu'à ce que vous tombiez par terre*)
• **returnable, refillable**	consigné, réutilisable, rechargeable
• **recyclable**	recyclable

À table !

Eh bien oui ! La nourriture aux États-Unis est meilleure qu'on ne le croit. Si on laisse de côté, bien entendu, ce que l'on appelle la **junk food** (**junk** = poubelle), qu'on pourrait traduire par "des cochonneries", et ce que proposent les chaînes de **fast-food** type Mc Donalds. **BFC** est une abréviation qui veut dire **burger, fries & coke**. **BLT** est un **sandwich with bacon, lettuce & tomato**. Dans les États de l'Est et du Middle-West, on appelle les restaurants rapides des **diner,** à ne pas confondre avec **dinner**, qui est le repas principal. Dans un **Take-Out Restaurant**, on vous demandera : **For here or to go?** (Sur place ou à emporter ?).

Les **Greasy spoons** (*cuillers graisseuses*) désignent des bistrots sales et très bon marché.

Les appellations **casual** ou **informal restaurant** s'appliquent à des restaurants simples bon marché.

Si on veut manger sur le pouce, on précisera qu'on veut un **quick pick-me-up** ou on dira **"Wanna grab a bite"** (je voudrais casser une petite croûte).

- **to eat like a horse**   manger comme quatre
- **to pork out**   manger comme un porc
- **to chow down**   bouffer, s'empiffrer
- **chow**   bouffe, graille
- **to gobble**   engloutir

TO PORK OUT

- **to nibble**   grignoter
- **with the works**   garni
- **combo...**   ... bien garni
- **carry-out, to take out**   (plats) à emporter
- **munchies**   petites choses à grignoter
- **I got the munchies!**   J'ai une fringale !

Gastronomiquement vôtre

Les **fancy restaurants**, que l'on appelle aussi **classy restaurants**, sont des endroits chics et chers. Voici quelques recommandations à observer :

On ne choisit pas sa table ; c'est le rôle d'un **host** ou **hostess**, qui vous demande **"Your name and the number of people in your party?"**, et vous place à une table adéquate selon l'importance de votre groupe .

"Please wait for hostess to seat you" (attendez que l'hôtesse vous place), figure souvent à l'entrée de l'établissement. Dans le cas contraire, il est précisé : **"Seat yourself"**,

Sachez que le personnel s'attend à recevoir un pourboire **(tip)** d'environ 15 %, non compris dans l'addition.

Les propriétaires de chiens peuvent demander un **doggie bag**. Ils peuvent ainsi récupérer les restes de leur repas et les emporter avec eux, pour le chien ou... pour qui ils veulent, après tout !

La carte **(menu)** est assez compréhensible. Voici malgré tout quelques particularités :

- **Salad Bar** : C'est un buffet de salades en libre service. Il y a aussi des **Potato Bars**.

- **All You Can Eat** signifie "à volonté" : Vous pouvez manger jusqu'à n'en plus pouvoir, pour un prix forfaitaire. Certains restaurants assurent que si vous arrivez à "tout" manger en une heure, vous ne payez rien !

Pour ce qui est du café - bien différent du nôtre, car largement dilué -, on ne paie généralement que la première tasse ; pour les suivantes, on demande : **May I have a refill?**

- **2-4 (two-for = two for the price of one)** est souvent mentionné pour le prix des steaks : deux pour le prix d'un.

● **greens / tossed salad**	salade verte
● **hash browns**	pommes de terre râpées et sautées
● **French fries**	frites
● **tater tots**	croquettes
● **bar-b-que (souvent écrit B-B-Q)**	barbecue
● **stew (chowder)**	plat unique (soupe aux coquillages)
● **soda**	eau gazéifiée, souvent servie avec du sirop
● **soda fountain**	à l'origine le bar du drug-store où l'on pouvait boire du "ice-cream soda"
● **soda jerk**	personne qui sert à une "soda fountain"
● **breakfast**	petit déjeuner
● **brunch**	petit déjeuner sur le tard (contraction de Breakfast et de Lunch)
● **lunch**	repas de midi
● **supper, dinner**	le repas principal, le plus souvent le soir
● **appetizer**	entrées
● **dessert**	dessert
● **a la mode**	dessert avec de la glace (par ex. apple pie avec de la glace à la vanille)
● **dill**	gros cornichons en conserve *(dill = aneth)*

Les **TV dinners,** comme les **chicken pot pies** sont des plats tout prêts qui ne demandent plus qu'à passer au **microwave** avant d'être ingurgités devant la télé.

Sweet Tooth (*"dent douce"*)

On désigne ainsi ceux qui ont un faible pour les sucreries Les **"sweet tooth"** n'ont pas de problème d'approvisionnement aux États-Unis, où les desserts, nombreux et variés, sont extrêmement sucrés. Il existe par ailleurs une expression pour les gens qui ont mangé trop de sucre : On dit qu'ils sont **sugar high**, ou encore qu'ils subissent un **sugar rush**, c'est-à-dire qu'ils sont "accros" au sucre.

● **ice-cream cone**	cornet de glace
● **sundae**	glace aux fruits, recouverte d'un coulis
● **cookies**	cookies, gâteaux secs
● **brownies**	petits gâteaux au chocolat et aux noisettes
● **candy bars**	appellation générale des barres du genre "Mars"
● **fudge**	fondant
● **donuts**	beignets ronds percés d'un trou
● **pie**	pâtisserie fourrée aux fruits
● **yuck!**	pouah ! berk !
● **yummy!**	miam !

Pour votre information, le "Mars" s'appelle **Milky Way** et le "Bounty", **Mounds**.

● **indigestion**	indigestion
● **heartburn**	brûlure d'estomac
● **to burp / to belch**	roter

● **to have gas**	avoir des gaz
● **to fart**	péter
● **Rolaids, Tums, Maalox...**	comprimés pour favoriser la digestion

La tournée des grands ducs

Bars et boîtes

Condition N° 1 pour entrer dans un bar ou une boîte : exhiber à l'entrée un document pour justifier de son âge, l'âge minimum autorisé variant de 18 à 21 ans selon les États.
I.D., Proof of age est inscrit sur la porte. C'est le **bouncer** (videur) qui assure le contrôle à l'entrée. Celui ou celle qui aura été appelé à prouver son âge, papiers à l'appui, pourra dire : **"I was (got) carded"**.

Avant de vous engouffrer dans ces lieux, vérifiez de quoi il retourne :

● **Singles'Bar** : Établissement principalement destiné aux célibataires.

● **Happy Hour** : Généralement de 16h à 19h, créneau horaire pendant lequel beaucoup de bars font payer moins cher :
241 (two for one) = deux boissons pour le prix d'une.

● **Open Mike** : (litt. *Microphone ouvert)* Soirées où chacun peut faire son numéro. Plus connu chez nous aujourd'hui grâce aux karaokés.

● **Big Screen TV** : Beaucoup de discothèques disposent d'un grand écran sur lequel elles diffusent des clips vidéo et des événements sportifs.

● **Cover Charge** : Entrée payante.

Si vous êtes en quête d'un bar où "il se passe quelque chose", il faut demander **a good place to go**. Il n'y a pas d'expression particulière pour désigner une discothèque ou un bistrot. Le mot **disco** est totalement **out**. On s'informe sur **a place, a bar** ou **live music**.

● **good tunes**	bonne musique ("chaude", pour danser)
● **a jammin' place**	un endroit "in", qui assure
● **a hangout**	bar
● **beach bar**	bar où l'on peut aller en short et T-shirt

● **Beer joint** est un bar où se rencontrent des gens simples.
● **Honky tonk** désigne le même type de bar, avec de la musique "live".
● **Tavern** est un petit bar.
● **The main drag** ou **strip** désignent le quartier chaud.

● **to stag it**	sortir en célibataire
● **to hit the town**	faire une virée en ville, faire la nouba
● **to hang (stick) around, to hang out**	glander, également : poireauter
● **Let's party!**	Allons faire la fête !
● **Let's cruise!** *	Tirons-nous ailleurs !
● **To cruise around** *, **to bar hop**	faire la tournée des bars
● **Let's get outta here!** **We're outta here!**	On s'tire !
● **Let's book!**	On s'casse !
● **to head out**	se casser
● **to take off**	se barrer, se faire la malle
● **to paint the town red**	faire la noce, la bringue, la tournée des grands ducs
● **to party, to get a piece of the action**	s'éclater

● **to shake one's shirt, to boogie**	(aller) danser
● **to let loose**	se laisser aller, se déchaîner
● **to shot pool**	jouer au billard
	(...américain)
● **stripes / solids**	boules cerclées /
	boules pleines
● **deck of cards**	jeu de cartes
● **to shuffle the deck**	battre les cartes
● **bouncer**	videur

* Attention ! To cruise s'applique aujourd'hui aux "gays" qui draguent pour se chercher un partenaire.

Pour ceux et celles qui n'entrent pas dans une boîte pour y jouer aux cartes ou au billard, mais exclusivement - ou accessoirement - pour y draguer, un vocabulaire plus spécifique est disponible à la page 76.

Tout se paie ...

Check, please ! The bill, please!   L'addition, s'il vous plaît !

To go dutch signifie que chacun paie sa part.
To pick up the tab : payer pour tout le monde.

À boire !

Il existe aux États-Unis beaucoup de dispositions variant d'un État à l'autre ; c'est le cas, entre autres, pour celles concernant l'âge légal auquel on peut boire de l'alcool en public, qui peut aller de 18 à 21 ans. Certains États sont carrément **dry** *(secs)*. Dans beaucoup d'autres - en Californie par exemple -, il est interdit de transporter de l'alcool au vu et au su de tous. Aussi les bouteilles sont-elles souvent emballées dans du papier kraft (**brown paper bag**).

Il existe une kyrielle d'expressions populaires ayant trait à l'alcool.
Faites votre choix :

Une petite bière ?

● **beer on tap**	bière à la pression
● **a draught (prononcez "draft")**	une (bière à la) pression
● **keg, tap**	tonneau
● **I'll have a draught.**	Je voudrais une pression.
● **mug**	chope
● **beer by glass**	bière au verre
● **... can**	... en canette
● **... bottle**	... en bouteille
● **brew, brewskie**	bière (brassée)
● **ice-cold brew**	bière glacée
● **L.A. (= less alcohol)**	bière peu alcoolisée
● **Lite Beer**	bière basses calories
● **Near Beer**	bière sans alcool
● **to guzzle a beer**	siffler une bière
● **to chug / down a beer**	s'envoyer une bière
● **lush**	soûlard
● **beer belly**	ventre à bière

Alcooliquement vôtre

S'il est un mot américain que l'on retient facilement, c'est le mot
shot, un "coup".
En échange, il en est deux autres qui sont difficiles à différencier :
liquor (pron. "likeur"), qui signifie alcool et **liqueur**
(pron. "likioure"), qui signifie liqueur.
Moonshine désigne l'alcool que l'on a distillé soi-même. Le
moonshining remonte au temps de la Prohibition, qui interdisait
précisément de distiller son propre alcool.
En langage familier, l'alcool s'appelle **booze**.

● brandy	Cognac, ou eau de vie
● hard liquor	alcool fort
● a shot glass	un petit verre (d'alcool)
● a (straight) shot	alcool fort servi sec (comme la Tequila)
● to do shots	faire cul sec
● mixed drink / cocktail	servi avec des glaçons entiers
● blended...	avec de la glace pilée **(crushed ice)**
● with a twist	avec une rondelle de citron
● to wet the whistle	s'en jeter un (litt. *mouiller le sifflet*)
● to sip	siroter
● chaser	alcool après la bière (ou le contraire...)
● Red-eye, Boiler maker	whisky après la bière
● schnap(p)s	alcool fort et sucré (comme le Peppermint)
● I'll have a shot of...	Sers-moi... / je prendrai...
● Down the hatch!	À vos amours !
● Cheers!	Santé !
● Bottom's up!	Cul sec !
● to make a toast	porter un toast
● Here's to you!	À la tienne !
Here's looking at you! /	
● It's on me!	Je paye une tournée !
● My treat!	C'est moi qui paye !
● This round's on me!	C'est ma tournée !
● Hit me!	Une autre ! (litt. *frappe-moi !*)
● to stand shot	payer une tournée générale
● one for the road	un pour la route
● nightcap	un dernier verre avant d'aller se coucher

THIS ROUND'S ON ME!

Et le lendemain ... Mal aux cheveux ?

To be under the wheels	être alcoolique
To hold one's liquor	tenir l'alcool

"He can really hold his liquor!" . Il y a ceux qui tiennent l'alcool... et les autres. Pour ces derniers, les expressions ne manquent pas :

to get (be)	**baked**	**...**	**ripped**
...	**plastered**	**...**	**blitzed**
...	**drunk**	**...**	**bombed**
...	**bent**	**...**	**shit-faced**
...	**smashed**	**...**	**trashed**

...	**wasted**	...	**pie-eyed**
...	**polluted**	...	**potted**
...	**tweaked**	...	**totalled**
...	**broken**	...	**mutilated**
...	**changed**	...	**shredded**
...	**blown**	...	**slaughtered**
...	**blotto...**		

... Il y en a sûrement bien d'autres, mais nous osons espérer que vous n'aurez pas eu le temps de les écouler toutes d'ici la fin de votre séjour. Vous comprendrez qu'il nous soit difficile de vous proposer une traduction très fidèle pour chacune d'entre elles ; mais nous ne ne pouvons nous refuser le plaisir de vous en soumettre un certain nombre, afin que vous puissiez constater que les francophones n'ont vraiment rien à envier aux américanophones sur le plan linguistique dans ce domaine : avoir du vent dans les voiles, un coup de chasselas, les dents du fond qui baignent, un coup dans l'aile - ou dans la trompette -, se biturer, s'embourber, être enjuponné, être à point, au pays noir, allumé, arrondi, beurré - au choix, comme un petit lu ou comme une tartine -, être rond comme une bille, blindé comme un char, givré, dézingué, mûr, murdingue, rétamé, teinté, torché... Peut-être pouvons-nous nous en tenir là pour aujourd'hui ?

Revenons à nos études ! Nous en étions à :

He's gone blotto.   Il est plein.

Au stade suivant, on trouve : **to pass out:** tomber raide.

Pour "vomir" et "gerber", il existe également quelques jolies tournures :

to lose it, to throw up, to barf, to do a technicolor yawn (litt. : *bailler en technicolor*)**, to ride the puke wagon, to blow one's cookies/chips/oats, to puke (one's guts out), to talk on the big white telephone, to lose one's lunch, to toss one's cookies ...**

Nous gardons les meilleures pour la fin :

to pray to the porcelain god et également **to drive the porcelain bus.**

Enfin, le lendemain matin, on peut envisager :

to have a hangover	avoir la gueule de bois
to be hungover	avoir mal aux cheveux...

Mettons enfin un terme à ce chapitre avec **a waste case** ... qui n'est autre qu'un cas désespéré !

Du côté des Stups

Après l'alcool, les autres drogues. Bien que ce ne soit pas vraiment notre domaine, nous nous devons d'y faire un détour, car là encore, il existe toute une terminologie qu'il peut être utile de savoir reconnaître au passage, car elle est assez présente par exemple dans les paroles de la Rock Music. Beaucoup de ces termes ont été inventés dans les années 60/70 et si certaines peuvent déjà paraître "désuets", c'est que l'argot est bien une langue qui "bouge", et peut-être plus encore dans ce domaine que dans d'autres !

Dans le registre : "être défoncé", nous vous proposons, :

fucked up ☀, **doped up, gone, spaced (out), to be out of it, to be zoned, loaded, fried, wasted,** etc.

"être accro" :

junkie, head, pothead, dopehead, on the needle, cokefreak (cocaïne), **cracker** (de **crack**), etc.

Quelques drogues :

pot, weed, hash, dope, grass, Mary Jane (haschisch, marijuana),
acid, Angel Dust, PCP, Yellow Sunshine (LSD), **horse** (héroïne),
coke (cocaïne)...

Bien sûr, le vocabulaire "technique" évolue tous les jours dans ce
domaine, comme dans beaucoup d'autres, et nous ne saurions vous
fournir tous les synonymes plus ou moins fleuris qui désignent ces
substances et le matériel **(artillery** ou **paraphernalia)** qui les
entourent.

● **to do lines / rails /**	sniffer une ligne
to snort coke / a line	
● **to shoot up**	se shooter
● **to smoke a joint / bowl**	fumer un joint
● **to take a hit**	se faire un joint
● **to have a habit / to be hooked**	être accro
● **to have a monkey on one's back**	être toxico
● **bowl, pipe**	pipe à shit
● **water pipe, Turkish pipe, bong**	pipe à eau
● **to do a doobie**	fumer un joint
● **overdose, "O.D."**	overdose
● **paraphernalia**	attirail du drogué
● **lid**	deux grammes
	de marijuana
● **finger-lid**	mini-dose de marijuana
● **nickel bag**	dose à cinq dollars

Du temps de Ronald et de Nancy Reagan, les campagnes anti-
drogues affichaient :

This is your brain.	C'est ton cerveau.
Just say "no".	Il faut savoir dire "Non !"

34

Ces slogans s'appuyaient en fait sur un spot télévisé émanant des instances gouvernementales : on y voyait un homme respectable présenter un œuf dans sa main et dire : **"This is your brain."**. Ensuite, il jetait l'œuf sur une poêle et disait : **This is your brain on drugs."**. Venait alors le slogan : **"Just say «no»!"**.

Où sont les toilettes, s'il vous plaît ?

Sachez que les Américains ne vont jamais aux **toilets**, mais aux **men's** ou aux **ladies' room.** À la maison : **bathroom**. Dans un bar ou un restaurant, si vous demandez le **washroom** ou **restroom**, vous serez également dirigé vers les toilettes.

En échange, le terme **toilet** est à éviter, car il se rapproche de notre terme "waters" et ne sonne pas très bien. Dans l'Amérique puritaine, les toilettes des femmes sont souvent appelées - avec une pudeur touchante - **powder room** ; vous saurez donc rester impassible lorsque vous entendrez la femme que vous accompagnez vous annoncer : **I gotta go powder my nose**, même si elle ne porte pas de maquillage.

Entre collègues (les hommes surtout), il est courant d'entendre parler du **can** ou du **John**. Quant aux termes qui servent à désigner ce que l'on "fait" aux toilettes, inutile de préciser qu'ils sont... nombreux :

● **to have gas**	avoir des gaz
● **to fart, to break wind,**	péter, lâcher un vent,
to cut the cheese	lâcher une perlouse
● **My backteeth are floating.**	Ça urge !
● **My eyeballs are turning yellow.**	Je ne peux plus tenir !
● **to drain the vein / lizard**	se faire une vidange
● **I gotta drain the dragon.**	Je vais faire pleurer
	le colosse.
● **I gotta syphon the python.**	Je vais égoutter la sardine.

- **I gotta water the horse** (litt. *je dois arroser le cheval*) : Je vais mouiller une ardoise.

- **to pee, to piss, to tinkle, to pinkle, to wee** faire pipi, pisser, uriner, ...

- **to take a leak** pisser un coup

- **to shake hands with the admiral** (litt. *serrer la main à l'amiral*...À réserver aux hommes !)

- **I have to take a shit.** Je vais caguer.

- **I have to drop a load.** Je vais poser une sentinelle.

- **to take a crap / shit / dump** Poser sa pêche, flaquer, couler un bronze

Et pour la "petite" et la "grosse" commission, vous entendrez les expressions suivantes :

to go number one faire sa "petite" commission

to go number two faire sa "grosse" commission

to take a squat (litt. *s'accroupir*), arroser les marguerites (réservé aux femmes, cette fois !)

to lay a log poser un rondin

Nous pourrions peut-être maintenant sortir de ces lieux enchantés, pour aborder un vaste sujet :

La télé (Boob Tube).

Aux États-Unis, la télé est une gigantesque institution. Dans certaines régions, on trouve jusqu'à 150 chaînes **(channels)** thématiques, par câble ou satellite, qui présentent des programmes spécialisés : nouvelles, films, sports, dessins animés, etc. Aucun programme, ou presque, n'échappe aux coupures des spots publicitaires **(commercials)**. Ceux qui restent assis toute la soirée, voire toute la journée, devant leur poste de télé, à grignoter des chips, portent un nom : **couch potatoes** (sans équivalent chez nous - du moins sur le plan du vocabulaire ! -, mais que nous pourrions traduire par "téléphages").

- **game show**   jeu télévisé
- **sit-com (situation comedies)**   mélo télévisé ; sitcom
- **soap opera**   feuilleton interminable
- **tube, on the tube**   télé, à la télé
- **boob tube**   "téloche"
- **(TV) set**   téléviseur
- **cartoons, toons**   dessins animés

On se fait une toile ?

On peut acheter ses billets de cinéma en dehors des cinémas **(box office)** eux-mêmes, par exemple dans certains grands magasins **(ticket outlets)**.

- **movie theater, cinema**   cinéma
- **movie**   film
- **bomb, flop**   navet
- **matinee**   séance dans l'après-midi
- **double-feature**   deux films pour le prix d'un
- **held over**   prolongation
- **sold out**   complet
- **preview**   avant-première
- **porn-flick, porno**   film porno
- **to catch a flick / movie**   aller au cinoche / cinéma

WHAT A BOMB!

Selon leur contenu et leur caractère plus ou moins érotique, les films sont classés de la façon suivante :

G = General Audience : grand public
PG = Parental Guidance : présence des parents obligatoire
PG 13 : présence des parents obligatoire pour les moins de 13 ans
R : Restricted : présence des parents obligatoire pour les moins de 17 ans
X = Interdit aux moins de 18 ans

Il y a un espace de restauration dans les cinémas : c'est le **concession stand**. On n'y trouve pas d'alcool, mais des montagnes de **popcorn** et de **carmel popcorn**.

On s'appelle ?

Aux États-Unis, **on ne peut pas téléphoner de la poste**. Celle-ci n'a rien à voir avec les télécommunications, qui sont contrôlées par des compagnies privées.

HELLO!   ALLÔ !

- **to make a phone call**   téléphoner
- **to dial a number**   composer un numéro
- **to punch in a number**   composer un numéro sur un téléphone à touches
- **to call someone /**   appeler quelqu'un
  to ring someone up
- **local call**   appel local
- **long distance call**   appel longue distance
- **collect call**   appel en PCV
- **operator**   opérateur des **collect calls**
- **credit card call**   appel avec une carte de crédit
- **area code**   indicatif
- **phone booth / payphone**   cabine téléphonique
- **answering machine**   répondeur
- **Talk to my machine!**   Laissez votre message !
- **Send me a fax!**   Envoyez-moi un fax !
- **Send me an e-mail!**   Envoyez-moi un courrier électronique !
- **Ring me up! Give me a buzz!**   Passe(z)-moi un coup de fil !
- **Hang on!**   Reste(z) en ligne !
- **Hold on!**   Ne quitte(z) pas !

Sans qu'il soit ici question d'argot, nous vous soumettons un assortiment d'**expressions courantes, familières**, que vous entendrez tous les jours, en toutes circonstances. Nous nous sommes efforcés de les classer par thèmes. Certaines d'entre elles étant "polyvalentes", vous trouverez quelques répétitions, malheureusement inévitables.

Bonjour - Au revoir

● **How's it hangin'?**	Comment ça va ? (entre hommes)
● **How's it going? How goes it?**	Comment vas-tu ?
● **I'm fine.**	Je vais bien.
● **It's all honky dory.**	Tout baigne.
● **What's up?**	Quoi de neuf ?
● **What's hap'nin'?**	Qu'est-ce qui se passe ?
● **What's the plan?**	Qu'est-ce qu'on fait ?
● **Kick butt!**	Bonne chance !
● **Break a leg!**	Merde ! (Bonne chance !)
● **See ya! See ya later! Later!**	À plus ! À plus tard !
● **Catch ya later! Catch ya in a few!**	À bientôt !
● **I'll keep you posted.**	Je te (vous) tiendrai au courant.
● **Let's stay in touch.**	On reste en contact.
● **Take care!**	Prends soin de toi !
● **Take it easy!**	Cool ! Ne t'en fais pas !

Tu piges ?

● **Get a grip!**	Reprends-toi ! Arrête de déconner !
● **Can you deal with that?**	Tu t'en sors ?
● **Can you handle that?**	Tu peux t'en occuper ?

● **Can you make it?**	Tu vas y arriver ?
● **Catch my drift? Catch this?**	Pigé ? Tu saisis ?
● **Can you relate? Check it out!**	Tu suis ?
● **Get the picture?**	Tu as pigé ?
● **Know what I mean?**	Tu vois ce que je veux dire ?
● **Get it?**	C'est clair ?
● **I hear ya!**	Parfaitement ! Reçu cinq sur cinq!
● **It's over my head. (It) beats me!**	Je n'entrave que dalle. Je n'en sais f... rien.
● **I give up.**	J'abandonne.
● **to get the joke**	comprendre la blague
● **the punch line**	la chute (de ladite blague)
● **to pick one's brain**	se prendre la tête
● **to rack one's brain**	se creuser les méninges
● **Get real!**	Tu délires !

Comme deux ronds de flan

● **Run that by me again!**	Redis voir un peu !
● **No shit. No kidding!**	Merde ! Tu déconnes !
● **You've got to be kidding!**	Tu rigoles ! Sans blague !
● **You're pulling my leg!**	Tu me fais marcher !

D'ac !

● **Not too bad.**	Pas trop mal.
● **I have a thing about it.**	C'est mon truc.
● **I get off on it.**	Je prends mon pied avec ça.
● **O.K. by me.**	Ça me va. Ça colle.
● **Fair enough!**	OK ! Dac !
● **Okeedokie! Sounds good!**	D'accord ! Ça me botte !
● **For sure!**	Bien sûr!
● **You bet!**	Tu parles ! Je veux ! Et comment !

● **That's the way!**	Voilà ! C'est ça !
● **That's the ticket!**	À la bonne heure !
● **Way to go!**	T'es sur la bonne piste !

Pas d'ac !

● **to flip someone off, to flip the bird, to give someone the bird**	envoyer balader quelqu'un
● **That's not worth a damn.**	Ça ne vaut pas un clou.
● **It's the pits!**	(litt. *C'est le fossé*) C'est pas le pied !
● **No way! Forget it!**	Pas question ! Ça va pas la tête ?
● **That's hurtin'! That's lame!**	C'est douteux ! C'est craignos ! Ça ne tient pas debout !
● **Baloney!**	Foutaises !

Relax, Max !

● **It's a cinch / snap / piece of cake!**	C'est du gâteau / du tout cuit / du nougat.
● **Relax!**	Relax, Max !
● **Take it easy! Hang loose!**	Cool, Raoul ! T'en fais pas !
● **Mellow out! Chill out!**	Détends-toi ! Sois cool !
● **No prob (= no problem)!**	Pas de problème !
● **That's no biggie / no big deal!**	Pas de quoi fouetter un chat ! / Et alors ?
● **Sure!**	Mais oui ! Bien sûr !
● **Chuck it!**	Laisse béton !

Un conseil : Quand on vous dit **"thank you"**, vous devez absolument répondre **"You're welcome"** ou **"Don't mention it"**. (De rien / Je vous en prie). Votre silence provoquerait un temps mort embarrassant.

NO PROB!

On pique une tête ?

● **shades**	lunettes de soleil (litt. *stores*)
● **to grab some sun**	prendre un peu de soleil
● **to catch some rays**	faire une bronzette
● **to get a (sun) tan**	bronzer
● **nude beach**	plage de nudistes
● **skinny dipping**	(litt. *baignade tout nu*) : bain de minuit
● **to be in the nude / buff**	être nu / à poil
● **to be in one's birthday suit**	être en costume d'Adam / Ève
● **to go for a dip**	piquer une tête
● **jacuzzi**	jacuzzi

43

● to take a jacuzz / to hot tub it	se baigner dans le jacuzzi
● boardwalk	promenade de bord de mer

Life's a beach! : La vie est belle! (déformation de l'expression **"Life is a bitch"**, qui veut dire exactement l'inverse (*Putain de vie !*).

En Californie, on utilise le mot **thing** à toutes les sauces :

● **Let's do the beach thing!**	On va à la plage !
● **Let's do the lunch thing!**	On va manger !

Allez, on surfe ?

● **body surfin'**	surf sans planche (à plat-ventre)
● **boogie board**	mini-planche pour surfer à plat-ventre
● **to hang ten**	surfer en faisant dépasser les orteils de la planche
● **to hang five**	même figure, mais avec un seul pied !
● **Go check out the waves!**	Va donc tâter un peu les vagues !
● **Gnarly!**	Super ! Génial ! Top !

On s'casse !

● **Let's go!**	On y va ! On s'en va !
● **Haul ass!** 💣✳	Lève ton cul !
● **On the ball!**	À l'attaque !
● **Let's jet / go / jam!**	On met les bouts ! / On s'arrache ! / On s'tire !
● **In no time!**	Tout de suite ! Plus vite que ça !

44

- **Let's book (outta here)!**
  Let's blow this place / joint!

  Barrons-nous d'ici ! /
  Allez, on's'tire ! /
  On s'casse, ! etc.

- **Are you all set to go?**

  Tous prêts à lever le camp ?

Baracca contre scoumoune

- **to luck-out, to be lucky,**
  to pull one off

  avoir de la chance, du bol,
  réussir

- **Don't sweat it. No sweat.**

  Ne t'en fais pas.

- **Are you stuck?**

  Tu as un problème ?
  Tu sèches ?

- **Tough luck / break / shit /**
  titties

  Manque de pot, pas
  de bol, ...

- **a goner**

  un perdant, un
  malchanceux

- **a fluke**

  coup de hasard

- **I was stiffed.**

  Je me suis fait rouler.

- **I got burned.**

  Je me suis fait arnaquer.

- **to front for someone**

  faire le guet (lors d'un mauvais coup)

- **He's full of it / shit.**

  Il déconne / il dit des conneries.

- **to fall for a snow job**

  se faire avoir (au baratin)

- **He pulled it off.**

  Il a réussi son coup.

- **It was a front / scam.**

  C'était du vent, de la frime,
  un coup monté

- **scammin'**

  arnaque

Et si on taillait une bavette ?

- **to chat**

  bavarder

- **to yak**

  jacasser

- **street talk**

  parlote (de rue)

- **to blab, to rap**

  déblatérer, baver

- **to shoot the shit / breeze**   tailler une bavette, potiner
- **to talk in circles**   parler pour ne rien dire
- **to talk a mile a minute**   être un moulin à paroles
- **Let's talk turkey.**   Venons-en aux faits.
- **You're running off at the mouth.**   Tu uses un litre de salive à l'heure.

La ferme ! Casse-toi !

- **Shut up! Button it! / Shut your trap! Yuck it! Pipe it!**   La ferme ! Ta gueule ! Boucle-la ! etc.
- **Cut the crap!**   Écrase !
- **Don't give me that bullshit!**   Ne me raconte pas de conneries !
- **Keep your hat on!**   On se calme !
- **Freeze!**   On ne bouge plus !
- **Can it! Cool it! Bag it!**   Écrase ! T'énerve pas ! On se calme !
- **Pull yourself together!**   Reprends-toi !
- **go jump in a lake!**   Va te faire voir !
- **Gimme a break! Get out of my face!**   Arrête ton char ! Lâche-moi un peu, tu veux ?
- **Stick it! Stick it in your ear! Stick it where it hurts! Stick it where it don't shine!**   Tu sais où tu peux te le mettre ? (litt. *là où le soleil ne brille pas...*)
- **Get your act / shit together!**   Secoue-toi !
- **Cut it out! Lay off!**   Ça va comme ça ! Fous-moi la paix !
- **Get off my back!**   Lâche-moi les baskets !
- **Sit on your face and rotate!**   *(Assieds-toi sur ta figure et pivote...)*
- **Back off! Buzz off! Get lost! Hit the road!**   Casse-toi ! Dégage ! etc.
- **Get your ass in gear!**   Bouge ton cul !
- **Piss / kiss off!**   Dégage !

- **Fuck off and die!**
- **Fuck you!**
- **Melt away and die! /
  Eat shit and die!**

Va te faire foutre !
Je t'emmerde !
Tu peux crever !

FREEZE!

Au travail !

- **to work like a dog**   trimer comme une bête
- **to go all out**   se défoncer
- **to be over one's head in work**   déborder de travail
- **That's a real bore / drag!**   C'est la barbe !

47

La grogne

- It's a pain! — C'est pénible !
- It's a pain in the neck / ass! — C'est chiant !
- It's a hassle / drag/ bitch! — C'est la barbe / la plaie / quelle saloperie!

- He's a pain in the ass. — Il est emmerdant.
- You drive me up the wall! — Tu me rends dingue !
- to be pissed / ticked off — en avoir ras le bol
- That bugs me. It's a bugger. (bug = punaise) — Ça me fait suer. C'est casse-pieds
- That (he) pisses me off. — Ça / il me fait chier.
- He's buggin' / wigging' out. — Il me prend la tête.
- to get jerky — péter les plombs
- I'm a basket case. — Je suis lessivé, bon à mettre au panier.

- Don't make waves! — Fais pas de vagues !
- to freak out — perdre les pédales, sortir de ses gonds

Tout n'est pas rose

- to be between a rock and a hard place — être confronté à un choix impossible
- to be a dead duck, a goner — être foutu
- to be in a jam — être dans le pétrin
- to be up shit creek without a paddle — être dans la merde jusqu'au cou
- to be up against the wall — se heurter à un mur
- I'm in the hot seat (hot seat = chaise électrique) — je suis sur la sellette
- to corner someone, to pin someone down — mettre quelqu'un au pied du mur, coincer quelqu'un
- blacklisted, blackballed — blackboulé
- to take the backseat to someone — s'effacer derrière quelqu'un

48

- **to play dirty** — jouer un sale tour
- **to full a fast one** — blouser quelqu'un
- **to take someone for a ride** — mener quelqu'un en bateau
- **to take the piss out of someone** — se foutre de la gueule de quelqu'un
- **to act up** — se conduire mal (pour un enfant)
- **to save face** — sauver la face
- **to be down in the dumps** — avoir le bourdon
- **to be fucked up** 💣※ — être emmerdé ; *aussi* : flippé
- **to have butterflies in one's stomach** — avoir les jetons
- **to be in the doghouse** — être mis en quarantaine
- **to be double-crossed** — se faire rouler
- **cop, pig** — flic, keuf
- **blue and white / black and white** — voiture de police
- **to smell bacon** — sentir le poulet (rien d'alimentaire !)
- **to beat the shit out of someone** — passer quelqu'un à tabac
- **to blow someone away** — descendre, flinguer quelqu'un
- **to screw / mess something up** — foutre quelque chose en l'air
- **Let's go the hell out of the dodge!** — Barrons-nous !
- **to get busted / nabbed** — se faire arrêter, pincer
- **Things are grim.** — C'est mal barré.
- **to let someone down** — laisser tomber quelqu'un
- **to be in a tizzy** — être dans tous ses états

Le tout venant...

- **and all that jazz** — et tout le tremblement
- **benies, benefits** — bénéfices, profits

● **block party**	fête de quartier
● **boom box, ghetto blaster** ●*	stéréo portable

GHETTO BLASTER

● **boondocks, boonies**	bled, trou
● **burbs**	banlieue
● **to bum around**	zoner
● **chew, plug, dip**	chique, tabac à chiquer, *plus récemment - et plus fréquemment - :* cocaïne
● **snuff**	coke
● **cig, drag**	cigarette, clope
● **to cut out, to put down**	décrocher
● **dick, private eye**	privé

• **to dip snuff**	être de la renifle
• **fickle**	capricieux
• **four-letter word (s)**	mot de ... cinq lettres, et par extension, tous les "gros mots"
• **freebee**	gratis
• **garbage can**	poubelle
• **gizmos, gadgets**	trucs, gadgets
• **guts**	cran, tripes
• **to hang out / around / loose**	zôner, glander
• **a hangout**	un lieu de rendez-vous
• **to have a chew**	chiquer
• **homely**	au physique ingrat
• **kicks**	pied (jouissance)
• **mug**	chope
• **my crowd**	ma bande, ma clique
• **my folks**	mes viocs
• **out in the sticks**	à perpète, au diable
• **pants**	pantalon, futal
• **pop, soda pop**	boisson non alcoolisée
• **posse (prononcez : "possi")**	gang, bande
• **room-mate**	personne avec qui on partage son appart
• **shalackers**	chaussures vernies
• **skid row**	zone, bas-fonds
• **sneakers**	baskets, tennis
• **sort / kind of**	plutôt
• **souped-up**	gonflé (moteur, par ex.)
• **specs (de spectacles)**	carreaux, lunettes
• **square** (carré)	réglo, également vieux jeux, ringard
• **straight**	réglo, nickel
• **stuff**	came
• **the bottom line**	le résultat
• **threads**	fringues, sapes

- **tix (de tickets)** — ticket
- **yonder** — là-bas
- **a waste of time** — une perte de temps
- **zip, nil** — rien, zéro
- **zit, zitto, pimple** — bouton d'acné

Petit assortiment d'expressions et de phrases toutes faites

- **Can I bum a smoke?**
  Je peux te taper une cigarette ?

- **Chalk it up to experience.**
  Maintenant, tu sauras !

- **Another one bites the dust.**
  Et un cadavre de plus !
  (litt. *Encore un qui mord la poussière !)*

- **Blow it off! It's history! Gag!**
  C'est de la blague / du pipeau !

- **Does this bug / bother you?**
  Ça t'embête / te chiffonne ?

- **Who cares? What of it?**
  So what? Big deal!
  Et alors ? Et après ?
  On s'en fout !
  Tu parles d'une affaire !

- **Who gives a flying fuck?**
  On n'en a rien à battre !

- **I don't give a shit / damn.**
  Je m'en tape /
  J'en ai rien à cirer.

- **That's a crock of shit.**
  C'est des salades.

- **I can't see shit.**
  J'y vois que dalle.

- **to hold out for the best offer**
  se réserver pour une meilleure proposition

- **He's the man.**
  C'est un caïd.

- **to be out to lunch**
  débloquer, être dans les vapes

- **to have one's shit together**
  être d'accord avec soi-même

- **to ham it up**
  cabotiner, exagérer

52

• to kick the habit	décrocher, perdre l'habitude (de la drogue, de l'alcool, du tabac, etc.)
• to be into something	être fou de / tenir à quelque chose
• to ace a test	décrocher la timbale
• a mick (de Mickey Mouse)	un truc fastoche
• to cop a peek	jeter un coup d'œil furtif
• It was murder!	C'était un cauchemar ! / C'était mortel !
• to mess it up	saloper, bousiller
• I'm pullin' for ya!	Je croise les doigts pour toi !
• to be grounded	être interdit de sortie
• Good job!	Bon boulot ! Bien joué !
• Hang in there! Don't give up!	Tiens bon !
• to kiss someone's ass	faire de la lèche à quelqu'un
• to give someone a piece of one's mind	dire ses quatre vérités à quelqu'un
• May I put my happy ass here? *(Ghetto slang)*	Je peux poser mon cul ici ?
• Let's get down to the nitty gritty.	Venons-en aux faits.
• He has been around (the block).	Il connaît la vie, il a roulé sa bosse.
• to grab some shut-eye, to take a snooze / a nap	piquer un roupillon
• to play one's cards right	jouer la bonne carte
• to have a good head on one's shoulders	avoir la tête sur les épaules
• to play hooky, to ditch / skip school	sécher les cours, faire l'école buissonnière
• Get your happy ass out of here!	Dégage ! Bouge ton cul de là !
• Park your butt! Park it!	Pose ton cul !

● **I've had it!**	J'en ai ras l'bol ! Ça suffit !
● **Go for it! Go ahead!**	Vas-y ! Mets-y le paquet !
● **to take the trouble (to)**	se donner la peine de...
● **to take a shot at something**	tenter le coup
● **to walk on thin ice**	marcher sur des œufs
● **What the heck are you up to?**	Qu'est-ce que tu mijotes, bon sang ?
● **in the spur of the moment**	sur un coup de tête
● **forever and a day**	une éternité
● **to catch some ZZZZ's**	faire une ronflette
● **to hit the sack / hay**	se pieuter
● **to be zonked out**	être mort de fatigue

Avant de refermer cette page, nous vous livrons encore une petite poignée de locutions assez colorées, dont la correspondance avec le français n'est pas toujours évidente :

● **He is as fit as a fiddle.**	Il se porte comme le Pont Neuf. *(aussi en forme qu'un violon)*
● **... as cool as a cucumber.**	... imperturbable. *(aussi froid qu'un concombre)*
● **... as flat as a pancake.**	... plat comme une planche à pain. *(aussi plat qu'une galette).*
● **You're barking up the wrong tree!**	Tu te trompes d'adresse ! *(Tu aboies au pied du mauvais arbre)*
● **Birds of a feather flock together.**	Qui se ressemble s'assemble. *(Oiseaux de la même espèce ensemble)*
● **No pains, no gains!**	On n'a rien sans rien ! *(Pas de douleurs, pas de gains)*

54

- **What's good for the goose, is good for the gander.**

Ce qui est bon pour l'un l'est aussi pour l'autre.
(Ce qui est bon pour l'oie est bon pour le jars.)

- **Don't make a mountain out of a molehill!**

Tu ne vas pas nous en faire une montagne ! *(Ne fais pas une montagne d'une taupinière !)*

Super ! Top ! Génial ! Le pied !

Et si, pour une fois, on exprimait un peu notre appréciation ? Vous constaterez que, tout comme en français, les mots changent radicalement de sens, selon le ton que l'on y met... Ainsi, **wicked**, par exemple, dont le sens premier est : "affreux", "méchant", devient "géant", "super", dès lors qu'il est énoncé avec admiration.

- **zany, wild, sweet, mint, hot, stoked, jazzed, pumped, crazy, off-the-wall, wicked, bad, tough, awesome, brutal, rad, radical, way rad, cool, way cool, ultra cool ...**

- Tous ces termes expriment, à des degrés différents, - et sans qu'il soit possible de donner à chacun son équivalent exact -, le même enthousiasme que nos : super, top, génial, chouette, géant, canon, classe, sensass, cool, d'enfer, et autres «j'te dis pas !»...

Quelques autres:

- **insane, crazy**   insensé, fou
- **trippin'**   super
- **bitchin'**   chié
- **top-notch**   top-niveau

• a real kick	le super pied
• weird, kinky, bizarre	dingue, taré, chtarbé
• bad ass	très fort, *ou* très bon
• terrific	super
• neat	chouette
• sharp	chic, élégant, classe
• rowdy	tapageur
• laid-back	relax, peinard
• easy-going	super cool
• mellow	à l'aise, relax
• a helluva (= a hell of a)	*(pour intensifier)* un sacré, un super...
• cream of the crop	la crème, le dessus du panier
• down-to-earth	réaliste, terre-à-terre
• Just for kicks / laughs!	Juste pour se marrer !
• Just kiddin'! Just pullin' your leg!	Juste pour te faire marcher !
• For the fun / for the hell of it!	Histoire de rigoler !
• That's a scream!	C'est à mourir de rire !
• Absolutely hilarious!	Hilarant ! À se tordre !
• It's hype (hyperbole)!	C'est exagéré !
• That turns me on!	Ça me branche ! Ça me botte !
• That's a blast!	C'est super !
• He cracked me up!	Il m'a bien fait marrer !
• That blows my mind! / That's a mind blower!	C'est hallucinant ! époustouflant !
• That's a classic!	Ça paye !
• That's something else!	C'est géant !
• It'll be a gaz!	Ça sera une sacrée rigolade !
• We're having a helluva time!	On s'éclate !

- **That blew me away!** — Ça m'a tué !
- **to be all decked out** — être super bien fringué
- **to be a real crack-up** — être "quelqu'un"
- **to be wacko / wacky** — être fou, fêlé
- **to laugh one's head off** — mourir de rire
- **to bust a gut** — se crever le cul
- **to have guts** — avoir des tripes
- **to have gumption** — avoir de la jugeote
- **This is a riot!** — c'est dément !
- **She's got the giggles.** — Elle a attrapé un fou-rire.

A San Fernando Valley, banlieue chic de Los Angeles, les filles dont le **daddy** possède un portefeuille bien garni ont leur propre "slang". Le langage de ces **Valley girls** s'est progressivement répandu un peu partout aux États-Unis.

That's to die for! / It's so very! / That's real! / Totally real!
Tout ceci veut dire : Super ! Géant ! etc.

WE'RE HAVING A HELLUVA TIME!

Lorsque les T-shirts parlent...

ils ne le disent pas avec le dos de la cuiller. Quelques échantillons :

Same shit - different day
If I had a hammer, there'd be no folk singers.
Is that your face or did your pants fall down?
Are you an artist or did you just get dressed in the dark?
My parents hate my fucking language.
Why can't I be rich instead of so damn good-looking?
I'm not arrogant, I'm just a whole lot better than you.
**It's not who you are but what you wear. — I mean, who cares
who you are, anyway?**

La manie de l'abréviation frappe aussi très fort dans ce domaine :
casquettes et T-shirts en sont témoins :

DILLIGAF?
Does it look like I give a fuck?
J'en ai rien à foutre !

FUBAR
fucked up beyond all reason
merdier total

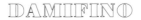

Damned if I know!
J'en sais fichtre rien !

SNAFU
situation normal; all fucked up!
Rien à signaler ; tout part en couille !

Tout ne va pas pour le mieux...

Eh oui, tout a une fin ! Après cette petite incursion dans les expressions traduisant la joie, l'admiration, l'hilarité, retour aux mauvaises nouvelles :

- **fresh** — paf, éméché
- **dumb** — stupide
- **corny** — ringard
- **tacky** — misérable, moche, de mauvais goût
- **gross** (de **grotesque**), **grody** — dégueulasse, débectant
- **that's gross!** — C'est trop !
- **crude, rude** — merdeux, fumier
- **hyper** — speed
- **freaked-out** — défoncé
- **wiped-out** — déchiré, défoncé
- **pooped, bushed** — lessivé, crevé
- **beat** — claqué, crevé
- **spaced-out, zoned** — défoncé, planant
- **out-of-it** — dans les vapes
- **screwed-up, clueless** — planté, sans la moindre idée
- **That's bogus.** — C'est du toc, du bidon.
- **to be bummed-out** — être déçu, l'avoir mauvaise
- **hokey** — ringard
- **to be ripped off** — se faire entuber
- **loony** (de **lunatic**) — cinglé, siphonné
- **to go nuts / bananas** — devenir dingue
- **shitty** — débile
- **lousy** — moche, pourri, dégueulasse
- **asinine** — stupide, tarte
- **cheap** — pingre
- **sleazy** — cradingue
- **You spastic!** — Espèce d'enfoiré !
- **That's a bum rap!** — C'est une accusation bidon !
- **You're sick!** — T'es malade !
- **It's muck! That sucks!** — Ça pue !

● **That's sorry!**	C'est mauvais !
● **nasty**	vilain, salaud
● **nasty trick**	vilain tour
● **stuck-up**	crâneur
● **two-faced**	hypocrite
● **to be on edge**	être à bout
● **to be edgy, touchy**	être énervé, *ou* susceptible
● **to be pissed off**	être emmerdé
● **to be blown away**	être scié, soufflé
● **to be up in the air**	être en rogne
● **to be grouchy**	être râleur
● **to be grumpy**	être grognon
● **to be cold**	être froid, glacial
● **to be fed up**	en avoir ras le bol
● **to be gutless**	ne pas en avoir

YOU'RE GUTLESS!

● to be jammin'	avoir du cul / le cul bordé de nouilles
● to be gung-ho	en vouloir (foncer)
● dirty tricks, rat fucking	sale coup, coup en douce
● double dealing	duplicité, double-jeu

GROS MOTS ET INSULTES EN TOUS GENRES

Four Letter-Words ...

Devinette : Pourquoi les mots de quatre lettres chez nos amis d'Outre-Atlantique en prennent-ils cinq chez nous ? Si vous êtes bon élève, vous connaissez déjà la réponse !

Nous abordons effectivement un terrain dont les limites s'étendent à perte de vue : celui des jurons, des injures, des insultes... Notez au passage que nombre d'entre elles peuvent être échangées entre copains sans pour autant qu'il règne entre eux la moindre inimitié. En effet, même chez nous, ne dit-on pas par exemple : "Eh ben, mon salaud, tu ne t'embêtes pas !"
Mais comme "c'est le ton qui fait la chanson", nous vous recommandons la plus extrême prudence dans l'emploi de ce qui suit ... et surtout, dans le doute, abstenez-vous !

● hard nose	dur à cuire
● tight ass	rat, pingre
● four-eyes	têtard à hublots, binoclard
● fool	bête, idiot
● bimouth	grande gueule
● ass wipe ●*, ass kisser ●*, butt lick ●*, brown noser	lèche-cul
● asshole ●*	trou du cul
● dick ●*, prick ●*	bite
● shithead, dickhead	tête de nœud, tête de gland
● back stabber	faux derche, faux cul
● double crosser	faux jeton

62

● pimp	maquereau
● scum	sperme, jute
● jackass	âne bâté
● mofo ●* (= motherfucker ●*)	enculé de ta mère, saloperie
● son of a bitch ●*(s.o.b.)	fils de pute
● bastard ●*	batard
● chicken shit	couille molle
● whussy, pansy	tante, pédé, lopette
● killjoy, party pooper	rabat-joie, trouble-fête
● snotnose	petit morveux
● ugly mug	sale gueule
● crater / pizza face	boutonneux
● tank, truck	malabar, gravos, gros plein de soupe
● porker, blimp, fatso	gros porc, patapouf
● animal	salaud, peau de vache
● cutthroat	acharné, sans scrupules
● dud	raté, zéro
● piece of shit	paquet de merde
● 14-carat idiot	imbécile de première
● bum, riff raff, trash, low life	minable, clodo
● He's a sod. He's a pratt.	C'est un con.
● He's a pleb.	C'est un prolo.
● airhead	gourde, cruche.
● BMOC (= big man on campus)	vantard
● butt head / face	tête de cul
● retard	débile
● He's flakey / out of lunch / out of it.	Il est cinglé / barjot / jeté.
● pecker head	tête de nœud
● shit kicker	cul-terreux
● greaseball	métèque, rital
● dog-ass	vaurien, racaille
● cry-baby	chialeur, pleurnicheur
● chum	copain, pote

goof, goof-ball, goofy-head	con, andouille, cave
sucker	poire, nigaud
He's a wise cracker.	C'est un crâneur, *ou* un blagueur.

Et tant que nous y sommes, plongeons encore un peu plus avant dans l'abîme sans fond de l'imbécilité, avec ces quelques expressions. Sans équivalent réel en français, elles sont assez savoureuses et suggestives pour que nous les mentionnions ici. Nous nous contentons de vous en donner la traduction mot à mot :

The lights are on but there's nobody home.
Les lampes sont allumées mais il n'y a personne à la maison.

The elevator-shaft is empty.
La cage d'ascenseur est vide.

He's lame.
Il est boîteux.

The chicken is in the pub but it's not fried.
Le poulet est dans le restaurant mais il n'est pas rôti.

He couldn't find his asshole with both hands and a flashlight.
Il ne trouverait pas le trou de son cul avec ses deux mains et une lampe torche.

He's a lump on a log.
C'est un crétin sur une bûche.

THE LIGHTS ARE ON BUT THERE IS NOBODY HOME

Quelques doux qualificatifs réservés...

aux femmes...

● hagbag	cageot
● tramp, hustler, fluzy	baiseuse, salope, pute
● trash	traînée, moins que rien
● cunt 💣*, twat 💣*	con, chatte
● wench 💣*	gonzesse
● bitch 💣*, hooker 💣*, whore 💣*, slut 💣*, broad, hussy...	pute, pute, pute, pute....
● bag lady	clocharde

- **old hag**   vieille taupe
- **old fogey**   vieux schnoque
- **old fart** ●※   croulant, vieux con
- **geezer**   vieux débris
- **old bag**   vieille poufiasse
- **old bat**   vieille chouette
- **old crab**   vieil emmerdeur
- **old codger**   vieux décati

aux "groupes ethniques"...

Dans le monde entier, l'argot propose une pléthore de termes et d'expressions désobligeants pour désigner les étrangers, les races, les communautés, etc. Bien que ce genre de discrimination ne soit pas notre "cup of tea" - comme diraient nos amis britanniques -, ni la vôtre certainement, il est important que vous connaissiez et sachiez reconnaître ces termes, pour les éviter ou réagir en conséquence. Mais il ne s'agit pas, là encore, de les utiliser ! Nous vous en donnons les équivalents approximatifs.

- **krauts** (*de Sauerkraut*   les Teutons, les Fritz,
  = *choucroute*), **germs**   les Boches...
- **frogs**   Les Français
- **wops**   les Ritals
- **russkies**   les Russkofs
- **Stanley, polack**   les Polacks
- **hymies, kikes**   les Youpins
- **japs, nips**   les Japs
- **chinks, yellers**   les Chinetoques, les Jaunes
- **slanties**   les bridés
- **Charlies, gooks**   les Viets, les niacoués
- **sand niggers, diaper heads** les *"enrubannés"*
  (qui portent une couche   (les Hindous)
  sur la tête), **rag heads**

● **chicanos, beaners**	les Mexicains [en situation régulière] (litt. *mangeurs de haricots*)
● **wet-backs, illegals, barseros** (= *illegal aliens*)	les Mexicains [en situation irrégulière]
● **spics**	les Portoricains, les Espingos
● **spic and span**	(*nom d'un produit de nettoyage comme "M. Propre"*) = mariage mixte Noir/Portoricain
● **porchmonkey**	(litt. *singe devant la maison*) = les Noirs
● **bluegum**	(litt. *gencive bleue*) = les Noirs
● **darkies, Negros, Niggers, blacks**	les nègres, les négros (*très péjoratif*)
● **blood brothers**	les Noirs vus par les Noirs
● **redskins**	les Peaux-Rouges
● **honkies, whites, maggots** (= *asti-cots*), **the beast**	les Blancs vus par les Noirs (*assez péjoratif également !*)
● **yanks**	habitants des États du Nord, aujourd'hui tous les Américains blancs
● **redneck**	habitants des États du Sud, *également* : ploucs, cul-ter-reux
● **granolas, earth people, earthies, tree huggers**	les écolos

WASPS = white Anglo-Saxon Protestants
Américains blancs protestants d'origine anglo-saxonne (désignent plus spécialement les conservateurs).

Une autre "ethnie" : les **YUPPIES = young urban professionals**

Les **Yuppies**, dont le **lifestyle** prête parfois à sourire, - et qui pourraient s'apparenter à nos "jeunes loups" ou "jeunes cadres dynamiques" -, possèdent un langage bien à eux :

Let's do lunch! *ou* **power lunch** signifient "parler boulot lors du repas de midi". Du reste, parler d'autre chose serait du temps perdu ! **To yuppify something** signifie rendre quelque chose chic et branché.

Une pratique assez populaire aux États-Unis est celle du **mooning. To moon** signifie tout simplement "faire voir la lune en plein jour", c'est-à-dire baisser son pantalon et montrer ses fesses... Le **mooning** est particulièrement pratiqué par les femmes dont la voiture se fait dépasser sur l'autoroute, ou pour marquer leur dernier jour de travail dans une société., On peut dire aussi **to flip a BA** (= **bare ass**) *ou* **to bare ass someone**

À propos, notre "Cause à mon cul, ma tête est malade !", pourrait se traduire par **bugger off!** ou **Go and tell that to the marines!**

... aux marginaux

● **gay, fag, faggot, butt pirate, bufu** (de **butt fuck**), **limp, wrist** *(= poignet délicat)*	homo, pédé, lope, pédale, tapette...
● **pal, buddy**	pote, *également pris dans le sens de* "ami d'un homosexuel"
● **les, dykes, diesels**	lesbiennes, gouines
● **bi, AC-DC**	bisexuel, à voile et à vapeur, jazz-tango
● **fruit, fruit cake, pansy, fem, homo, fairy** *(= fée)*, **queer**	tante, tapette, pédé, etc.
● **to be in drag, queen, queeny, drag queen**	être en travelo, trave, caroline, folle, etc.
● **to come out of the closet**	s'avouer homo

Quittons pour un moment ces "groupes de population" spécifiques pour nous replonger dans les différentes manières de menacer, d'insulter, de jurer . Attention ! Encore une fois, tout en restant plus ou moins dans le même registre de langage, les équivalents restent approximatifs :

I'LL KICK HIS ASS!

● **I'll kick his ass ◆*.**	Je vais le buter.
● **Paybacks are hell / a bitch!**	Tu me le paieras !
● **It's no picnic!**	Ce n'est pas de la tarte !
● **Watch out! Careful!**	Attention !
● **Get a hold of yourself!**	Contrôle-toi !
● **to tell off someone**	dire ses quatre vérités à quelqu'un

● to put someone in his place	remettre quelqu'un à sa place
● **Darn! Doggone! Damn!** **Son-of-a-bitch! Bummer!** **What a drag! Man alive!** **Nuts! Shoot!**	Flûte ! Zut ! Merde ! Putain ! Zob ! Bordel ! etc.
● **(A bunch of) shucks!**	Mince ! Zut alors ! (litt. *un amas d'épluchures*)
● **(A pile / piece of) shit!**	Merde ! (litt. *un tas de merde*)
● **Fuck ◕*! Crap! Hogwash!**	Merde ! Putain ! Foutaise !
● **Shit / megashit happens!**	Merde sur toute la ligne !
● **Dang! Shoot!**	Merde !
● **Garbage! Suck! Shoot!**	Conneries ! À chier ! Miel !
● **(A bunch of) bullshit ◕*!** **B.S. (= bullshit)**	Conneries ! Rien que des conneries!
● **He's full of it!**	Il déconne !
● **What the heck / hell...!**	Que diable... !
● **Gosh! Gee whizz!**	Mince ! Ben mon vieux !
● **Geez (de Jesus)**	Bon Dieu !
● **I don't give a flying fuck ◕* /** **shit / damn!**	J'en ai rien à foutre ! J'en ai rien à cirer !
● **That sucks!**	C'est nul à chier !
● **Kiss / lick my ass!** **Suck my butt! / dick!**	Va te faire foutre !

Que disent ces messieurs (entre eux)
à propos de ces dames ?

Eh bien, pas mal de choses ! C'est un sujet du plus grand intérêt, un peu tabou - donc inépuisable -, qui a suscité une véritable mine d'expressions argotiques en tous genres. Mais **attention ! Qui dit "mine" dit "terrain miné"** ◆※◆※◆※ ! Sachez que dans les pages qui vont suivre, certains mots et expressions proposés sont très crus ; cependant ils existent, même s'ils ne sont utilisés que dans certaines couches de la société. Sachez donc faire un tri judicieux et user de vos "sélections" avec discernement.

Nous avons essayé d'en rendre la traduction le plus fidèle possible pour vous donner une idée du registre où ils se situent, et cela n'a pas toujours été facile ! Souvent nous avons dû nous contenter d'équivalences approximatives, car chaque langue a ses images bien à elle.

● **cutie**	mignonne (jolie fille)
● **brown sugar**	mignonne (fille de couleur)
● **sweet ass**	minette excitante
● **doll, dollbaby**	poupée
● **sweet**	chérie
● **looker, fox, foxy lady, a hot babe**	beau petit lot
● **hot number**	sexy, bandante
● **She's a winner!**	Elle est top !
● **She's a ten!**	Elle assure !
● **She's a knockout!**	Elle est bien roulée !

SHE'S A KNOCKOUT!

- **chick** — poulette, minette
- **hon** (de **honey**) — chérie
- **gal** (de **girl**) — môme, gonzesse
- **my ol' lady, my wrap** — ma bourgeoise, ma nana
- **built, stacked** — bien roulée, bien foutue
- **cute** — mignonne
- **prissy** — bégueule
- **dizzy, dip** — connasse
- **homebody** — popote, pot-au-feu
- **T & A (tits and ass)** — stupide mais bonne au lit
- **snob, snot** — morveuse, merdeuse
- **nag** — râleuse, emmerdeuse
- **tomboy** — garçon manqué
- **whale** — grosse truie

● **troll**	vieille peau
● **rag**	emmerdeuse (litt. *chiffon*)
● **cling-on**	pot de colle
● **gossip**	concierge, pipelette
● **blabbermouth**	personne qui ne sait pas tenir sa langue
● **tattle-tale**	commère
● **bimbo**	minette, ravissante idiote
● **two-timer**	copine infidèle (double liaison)
● **run-around**	coureuse d'hommes (multiples liaisons...)
● **prude**	bégueule
● **ice, frigid**	glaçon, frigide
● **airhead, blonde**	cruche, gourde
● **wall flower**	potiche, celle qui fait tapisserie
● **meat market**	(litt. *marché de la viande*) : lieu de rencontres pour personnes en quête de partenaires
● **to be an easy pick-up**	être une Marie-couche-toi-là
● **dressed to kill**	être sur son trente-et-un
● **She's easy.**	C'est une fille facile, elle n'est pas farouche.
● **She's a tease.**	C'est une allumeuse.
● **She's a flirt.**	C'est une aguicheuse.
● **She's a fluzy.**	C'est une petite salope.

"She's a betty!" se dit d'une blonde aux yeux bleus qui conduit une Rabbit cabriolet (Golf VW). Il peut arriver qu'on aperçoive une fausse blonde au volant d'une vraie Rabbit. On dira alors : **"She's a wanna-be-betty!"**, "C'est une pseudo-betty !". La Rabbit cabriolet se fait d'ailleurs appeler en toute simplicité **bettymobile**.

Mais que disent aussi ces dames (entre elles) à propos de ces messieurs ?

À votre tour, mesdames, il n'y pas de raison !

- **fox** — beau mec
- **ace** — canon
- **hunk, stud** — bien foutu, bien monté (stud = étalon)
- **He's a real stud!** — C'est un sacré tombeur !
- **jock** — athlète
- **hard body** — costaud
- **brain** — grosse tête
- **crack-up, kook** — louftingue
- **joker** — blagueur
- **honcho** — grosse légume
- **He's a real trip!** — Ça, c'est un mec !
- **Oh, what a hunk / piece of meat!** — (idem)
- **bonehead, egghead** — crétin, bûche
- **dope, dummy** — andouille, ballot
- **creep** — minable
- **drag** — emmerdeur, casse-bonbons
- **wimp** — poule mouillée, lavette
- **twirp, dork, loser** — bon à rien, crétin, gland
- **bum** — minable, moche
- **schmuck, prick** — connard
- **maniac** — cinglé, chtarbé
- **tightwad** — radin, grippe-sou
- **rookie** — blanc-bec (*également* : "bleu" dans la police)
- **toy boy** — jeune amant, gigolo
- **show-off** — frimeur
- **moron** — taré
- **hot shot / shit** — crack, bête
- **weirdo, freak** — drôle d'oiseau, original

● **happy-go-lucky**	joyeux drille
● **smart aleck, wise guy**	petit malin, crâneur, *également* : roublard
● **goober**	imbécile, petit crétin
● **jerk**	petit con, bouffon
● **geek**	salopard
● **nerd, dweeb**	connard
● **bozo** (de l'esp. *vosotros*)	gros biceps et petite tête
● **He thinks he's hot shit!**	Il ne se prend pas pour de la merde !
● **he's clean.**	Il est réglo.
● **preppy, prep**	fils à papa (qui fréquente une **prep-school**, école privée)
● **sweet / smooth talker**	beau parleur
● **chauvinist pig, swine**	sale macho, phallocrate
● **macho**	macho
● **my ol' man**	mon vieux, *ou* mon pote

Messieurs, faites connaissance avec ces dames !

● **cutie, honey**	mignonne, poupée
● **good-looking**	jolie
● **lady**	belle femme
● **Hey lady!**	Bonjour, jeune fille ! *Mais attention, peut également signifier :* Eh, la vieille !
● **darling, sweetheart**	chérie, mon cœur
● **sweet thing**	ma puce
● **sugar, sweetie pie**	mon trésor
● **baby, babe**	bébé, beauté
● **angel**	mon ange
● **missy**	mademoiselle

Le temps où les messieurs disaient **missy** à une dame est en fait révolu. Aujourd'hui, on dit plutôt **miz**, qui est une contraction de **miss** et de **mrs.**

Maintenant, passons aux travaux d'approche. Et restons courtois, s'il vous plaît ! ... même si nous avons opté pour un tutoiement d'emblée.

● **Haven't we met somewhere before?**	Ne nous somme-nous pas déjà rencontrés quelque part ?
● **Haven't I seen you somewhere before?**	Ce n'est pas la première fois que je te vois, n'est-ce pas ?
● **What are you doing tonight?**	Qu'est-ce que tu fais ce soir ?
● **Would you like to come over?**	Tu veux venir ?
● **Are you looking for some action?**	Tu veux t'amuser ?
● **What do you have in mind?**	Tu as quelque chose en vue ?
● **You come here often?**	Tu viens souvent ici ?
● **Are you here with someone?**	Tu es venue accompagnée ?
● **Is this seat taken?**	Ce siège est occupé ?
● **Mind if I sit here?**	Ça te dérange si je m'asseois ici ?
● **Who's (where's) your date?**	Qui (où) est ton copain ?
● **Can I buy you a drink?**	Je peux t'offrir un verre ?
● **Do you have (need) a ride home?**	Je peux te raccompagner chez toi ?
● **Are you driving?**	Tu es motorisée ?
● **Can I come over?**	Je peux venir avec toi ?
● **Do you wanna come to my place?**	Tu veux venir chez moi ? *(très direct)*
● **Wanna party? Let's party!**	Allez, on fait la fête !

Mesdames, si vous ne voulez pas faire connaissance...

Ça peut arriver... Alors, nous allons commencer par vous souffler quelques réparties bien senties qui vous permettront d'envoyer ballader les indésirables. (À cet effet, vous pouvez aussi réviser la page 46) :

- **Get lost! Beat it!**   Dégage !
- **Shove it!**   Barre-toi !
- **Scram!**   Fous le camp !
- **Bite the wall!**   (litt. *Mords le mur !*)
- **Buzz off ✹*!**   Casse-toi !
- **Piss off ✹*!**   Je t'emmerde !
- **Fuck off ✹*!**   Va te faire foutre !
- **Go fuck ✹*/ screw ✹*yourself!**   Va te faire mettre !

Nous nous permettons d'espérer que vous ne serez pas amenée trop souvent à emprunter ce type d'injonctions... Et pour nous réconcilier avec les hommes, voici tout de même quelques mots plus sympathiques pour parler d'eux :

- **man**   homme
  (vous connaissiez ?)
- **pal, buddy, dude**   jules, pote, mec
- **guy**   mec
- **big guy**   mec bien
- **cuz (de cousin)**   pote
- **mack, fella**   gonze, type
- **kid, babe, chump**   copain, petit ami
- **bro (de brother)**   pote

BEAT IT!

Préliminaires à "la chose"

- **to make eyes at someone** — faire les yeux doux à quelqu'un
- **to make a pass at / to hit on someone** — draguer quelqu'un
- **to ask someone out** — inviter quelqu'un à sortir
- **to catch someone's eyes** — taper dans l'œil de quelqu'un
- **to be promiscuous** — coucher avec tout le monde
- **to be on the make** — être en quête d'aventures
- **to check someone out** — se rencarder sur quelqu'un
- **to scan the crowd** — analyser "l'offre"
- **I'm goin' pimpin'.** — Je pars en chasse.

• to come on to someone	aguicher quelqu'un
• to lead someone on	(idem)
• to tease	allumer quelqu'un
• to feed someone a line	(idem)
• to make a date	se donner un rendez-vous
• to set a time	se fixer un rendez-vous
• He's my date.	Je sors avec lui
• to date / go around with someone	sortir avec quelqu'un
• to break up	rompre
• to have good chemistry	avoir des affinités
• to be free / single	être libre, célibataire
• to be available	être disponible
• to score	faire des ravages
• to pick someone up	draguer quelqu'un
• to get lucky / some	coucher avec quelqu'un
• to bop / bang / have sex	(idem)
• She still has her cherry.	Elle n'a pas encore perdu sa fleur.
• She's a virgin.	Elle est vierge, pucelle.
• to get good / bad vibs.	brancher, ne pas brancher
• to shack up with someone	se mettre à la colle avec quelqu'un
• to feel up	caresser, peloter
• French kiss	pelle, palot
• hickey, suckerbite	suçon
• to fool / joke / goof around / mess / screw / dick around	avoir des aventures
• to excite	exciter
• to get excited	être excité
• to get all hot and bothered / to be hot to trot	être allumé, chauffé, etc.
• to have a hard-on	bander
• to be hot for someone	en pincer pour quelqu'un
• to goose	mettre la main au cul

79

● to get goosed	se faire mettre la main au cul
● a quickie / fling	un petit coup rapide
● cheap thrills	un coup moyen
● rubber	capote
● the pill	la pilule
● to be on the rag ●※	avoir ses règles
● It's that time of month!	Les Anglais ont débarqué !
● to be in the buff / nude	être à poil / nu
● to be in one's birthday suit	être en costume d'Adam / Ève
● to be knocked up	être en cloque
● shotgun wedding	mariage forcé
● come-ons	avances
● a fling, an affair, a one-night-stand	une aventure d'un soir

"La chose"

Et maintenant, l'inévitable : les expressions se rapportant au sexe ! Devant l'abondance de l'offre, nous avons sélectionné les plus utilisées. Toutes ces expressions signifient "faire zizi pan-pan". Les traductions que nous en donnons ne servent qu'à indiquer approximativement le niveau de langage auxquel elles se situent ; aussi les faisons-nous apparaître en italique.

● to boink	*faire l'amour*
● to screw ●※	*niquer, baiser*
● to make it with someone	*s'envoyer quelqu'un*
● to make love	*faire l'amour*
● to have sex	*avoir des rapports*
● to go all the way	*aller jusqu'au bout*
● to run all the bases	*"tout" faire*
● to do it	*faire "ça", le faire*
● to take someone	*prendre quelqu'un*

80

● to go down on someone	*passer sur quelqu'un*
● a good lay	*un bon coup*
● to make whoopee	*faire la noce, faire l'amour*
● to bang ◆*	*tringler*
● to jump someone's bones	*sauter sur quelqu'un*
● to hump	*sauter, baiser*
● to make / to work up	*besogner*
● to hit / to score a home run	*se faire quelqu'un*
● to fuck ◆*	*baiser*
● to get a piece of ass ◆*	*se faire une partie de jambes en l'air*
● to get some meat	(litt. *se faire un morceau de viande*)
● to get some T & A (Tits and Ass) ◆*	(litt. *se faire des seins et du cul*)
● to come / to cum (off) / to go for it / to get off	*jouir, avoir un orgasme, prendre son pied*

Et puis, ça devait arriver... les expressions se rapportant à la masturbation ; pour certaines d'entre elles, nous nous contentons de vous livrer quelques indices par un mot-à-mot prudent ; pour d'autres, il n'y a même pas de mot-à-mot ; sachez seulement qu'elles existent :

● to play pocket billiards	jouer avec ses billes
● to play with oneself	*jouer avec soi-même*
● to wack off *(wacky = fou)*	*perdre la boule*
● to get off on oneself	*prendre son pied avec soi-même*
● to beat off	se branler
● to jack off, to wank	se polir la colonne, se branler
● to beat meat	*battre la viande*

81

- **to strangle one's granny**   *étrangler sa grand-mère*
- **a wanker**   un branleur

Maintenant, un peu d'anatomie. À l'étage supérieur, nous trouvons chez la femme : les seins (**breasts**), autrement baptisés :

boobs, yabos, knockers, tits, melons, hooters...	seins, nénés, nichons, tétons, rondins, doudounes...

À l'étage en-dessous :
pussy ❂*, bush, crotch, hole ❂*, cent ❂*	chatte, gazon / barbu, foufoune, fente / trou, con / chagatte

Deux expressisons assez imagées mais très vulgaires :

He is pussy-whipped : Elle le mène par le bout du nez *(pudiquement)*. En clair, "il est complètement soumis à sa nana". (**to be whipped** = déclarer forfait).

She is dick-whipped : Il la mène par le bout du nez. / "Elle est complètement soumise à son mec".

Chez l'homme, les attributs se nomment :

ding-a-ding	quéquette
dick	bite
prick, pecker	pine
rod	gourdin
twanger	(**to twang** = *gratter une guitare ou faire vibrer une corde*)
cock	queue
peter	Popaul / Charles le Chauve
bulge	(litt. *bosse*)
tool / mechanism	outil, engin

- **thing** — chose
- **hog** — (litt. *cochon*)
- **meat** — (litt. *viande*)
- **willy** — petit frère
- **cream shooter** 💣* — *"baveuse"*

Sans oublier les bijoux de famille : **family jewels**,
les boules, les noix : **balls, nuts**.

To have balls signifie : avoir des couilles.

Et, tant que nous y sommes :

rump / tush / tokus / butt / ass 💣* — derrière / fesses / pétrus /
pétard / cul

Et pour finir, quelques spécialités :

- **whips & chains** — sado-maso
- **bufu (= buttfuck)** 💣* — sodomie
- **to eat someone (out) /** — faire un cunnilingus
  to tongue someone
- **to give head** 💣* **/ to suck** — tailler une pipe
  cock 💣* **/ to go down on**
  someone / B.J. (= blowjob) 💣*
- **to fake it** — simuler
- **to be a working girl /** — faire le trottoir
  to work the streets
- **to turn a trick** — faire une passe
- **red light district** — quartier à putes
- **pimp** — maquereau
- **madame** — mère maquerelle
- **brothel / cat house** — bordel
- **the vice squad** — la brigade des mœurs

A WORKING GIRL

À propos de l'anglais américain

Avant que vous ne fermiez ce livre, nous aimerions vous indiquer quelques différences fondamentales entre l'anglais américain (AA) et l'anglais britannique (AB).

D'une manière générale, l'américain est une langue plus homogène que l'anglais. En Grande-Bretagne, en effet, on rencontre des dialectes très différents selon les régions, ce qui n'est pas le cas aux États-Unis, dont l'histoire est plus récente. Par ailleurs, la langue américaine a conservé des mots et des tournures anciennes dont certaines remontent à l'époque coloniale, qui ont depuis longtemps disparu de l'anglais britannique.

C'est ainsi par exemple que les Américains emploient **fall** pour désigner l'automne, alors que les Britanniques disent **autumn**. Les Américains disent **I guess** (litt. : "je devine"), là où les Anglais disent **I think**, et **to be sick** au lieu de **to be ill** pour "être malade". Et là, il convient de bien distinguer les deux, car pour les Anglais, "to be sick" veut dire "vomir".

Pour ce qui est de la langue écrite, la tendance américaine a été vers la simplification, ou plutôt la "modernisation". Exemples :

A. Am.	A. Brit.	
color	colour	couleur
center	centre	centre
traveler	traveller	voyageur
lite	light	facile / léger / clair

Parallèlement, les règles de grammaire américaines sont devenues moins strictes que chez leurs cousins britanniques.

On trouve aussi en américain les "nouveaux concepts" que le mode de vie et l'évolution de la société ont engendrés. Il n'est pas surprenant que des mots comme **robot**, **computer**, **supermarket**, **hamburger**, **micro-chip** et **microwave** nous viennent de ce pays qui, en raison de son monde de vie, a su, dans le domaine des mots, développer sa propre créativité :

A. Am.	A. Brit.	
farmer	**peasant**	fermier / paysan
truck	**lorry**	camion
elevator	**lift**	ascenseur
freeway	**motorway**	autoroute
subway	**underground**	métro
vacation	**holidays**	vacances

Enfin, les langues des immigrants et des autochtones ont laissé des traces dans l'américain. Quelques exemples :

A. Am.	Origine
squash	indienne
boss	néerlandaise
dime	française
prairie	française
kindergarten	allemande
schnaps	allemande
ranch	espagnole
rodeo	espagnole

Beaucoup d'Américains ayant conservé certaines intonations de leur langue d'origine, n'ayez pas peur d'exhiber votre accent français ; il devrait passer. Sachez que vous comprendrez mieux un New-Yorkais qu'un Texan, dont on connaît l'accent légendaire ! En général, la prononciation est plus facile à comprendre dans les États du Nord-Ouest que dans ceux du Sud, où la manie de la contraction rend la compréhension encore plus difficile : au lieu de dire **you** (vous) par exemple, vous entendrez **y'all**, qui est une forme contractée de **you all**. Si vous êtes hispanisant, vous pourrez très bien vous débrouiller dans les États de Californie et de Floride en particulier, avec les Hispano-américains que vous y rencontrerez.

* * * * * * * * * *

Nous voici donc presque arrivés au terme de cet ouvrage par lequel nous avons voulu vous donner un aperçu du **slang** américain dans les domaines les plus variés.

Toutefois nous n'avons pas encore abordé le domaine sportif, et puisque l'argot n'est pas simplement la "langue verte" ou le langage du milieu, mais aussi le "vocabulaire particulier à une profession" *(Larousse)*, nous avons jugé utile de vous proposer une petite rubrique sur le jargon sportif. Les Jeux olympiques ayant lieu tous les quatre ans, il ne sera jamais trop tard pour vous familiariser avec ce vocabulaire.

Le jargon du monde sportif

Voyons d'abord tous les sports pratiqués dans le cadre des Jeux olympiques, avec leurs abréviations respectives :

Anglais-français

Aquatics (AQ)	Sports aquatiques
Archery (AR)	Tir à l'arc
Artistic G. (GA)	Gymnastique artistique
Athletics (Track & Field) (AT)	Athlétisme
Badminton (BD)	Badminton
Baseball (BB)	Base-ball
Basketball (BK)	Basket-ball
Beach V. (BV)	Beach-volley
Boxing (BX)	Boxe
Canoe/Kajak (CK)	Canoé/Kayac
Cross-Country (CM)	cross
Cycling (CY)	Cyclisme
Decathlon	Décathlon (hommes)
Discus	Lancer du disque
Diving (DV)	Plongeon acrobatique
Dressage (ED)	Dressage

Equestrian (EQ)	Equitation
Fencing (FN)	Escrime
Freestyle (WF)	Libre
Greco-Roman (WG)	Lutte gréco-romaine
Gymnastics (GY)	Gymnastique
Hammer	Lancer du marteau
Handball (HB)	Hand-ball
Heptathlon	Heptathlon (femmes)
High jump	Saut en hauteur
Hockey (HO)	Hockey sur gazon
Hurdles	Haies
Indoor Volleyball (VY)	Volley-ball (en salle)
Javeline	Lancer du javelot
Judo (JD)	Judo
Jumping (EJ)	Jumping
Long jump	Saut en longueur
Marathon	Marathon
Modern Pentathlon (MP)	Pentathlon
Mountain Bike (CM)	VTT
Pole vault	Saut à la perche
Race Walk	Marche (50 km)
Relay	Relais
Rhythmic Gymnastics. (GR)	Gymnastique rythmique et sportive
Rowing (RO)	Aviron
Shooting (SH)	Tir
Shot put	Lancer du poids
Slalom (CA)	Slalom
Soccer *(également* **Football***)* **(FB)**	Football
Softball (SB)	Softball (variante du base-ball)
Sprint (CS)	Sprint
Steeplechase	3000 m steeple
Swimming (SW)	Natation
Synchronized Swimming (SY)	Natation synchronisée
Table Tennis (TT)	Tennis de table

Tennis (TE)	Tennis
Three Day (ET)	Cross-country
Track (CT)	Course
Triple jump	Triple saut
Volleyball (VB)	Volley-ball
Water Polo (WP)	Water-polo
Weight Lifting (WL)	Haltérophilie
Wrestling (WR)	Catch
Yachting (YA)	Voile

Français-anglais

Three Day (ET)	**(Cross-Country) (CM)**
3000m steeple	**Steeplechase**
Athlétisme	**Athletics (Track & Field) (AT)**
Aviron	**Rowing (RO)**
Badminton	**Badminton (BD)**
Base-ball	**Baseball (BB)**
Basket-ball	**Basketball (BK)**
Beach-Volley	**Beach V. (BV)**
Boxe	**Boxing (BX)**
Canoé/kayak	**Canoe/Kajak (CK)**
Catch	**Wrestling (WR)**
Cérémonies (ouverture et clôture)	**Ceremonies (Opening/Closing)**
Course	**Track (CT)**
Cross-country	**Three Day (ET)**
Cyclisme	**Cycling (CY)**
Décathlon	**Decathlon**
Dressage	**Dressage (ED)**
Equitation	**Equestrian (EQ)**
Escrime	**Fencing (FN)**
Football	**Soccer (auch Football) (FB)**
Gymnastique	**Gymnastics (GY)**
Gymnastique rythmique	**Rythmic Gymnastics (GR)**

Gymnastique artistique et sportive	**Artistic G. (GA)**
Haies (110m, 400m)	**Hurdles**
Haltérophilie	**Weight Lifting (WL)**
Hand-ball	**Handball (HB)**
Heptathlon	**Heptathlon**
Hockey sur gazon	**Hockey (HO)**
Judo	**Judo (JD)**
Jumping	**Jumping (EJ)**
Lancer du disque	**Discus**
Lancer du javelot	**Javeline**
Lancer du marteau	**Hammer**
Lancer du poids	**Shot put**
Libre	**Freestyle (WF)**
Lutte gréco-romaine	**Greco-Roman (WG)**
Marathon	**Marathon**
Marche (50 km)	**Race Walk**
Natation	**Swimming (SW)**
Natation synchronisée	**Synchronized Swimming (SY)**
Pentathlon	**Modern Pentathlon (MP)**
Plongeon acrobatique	**Diving (DV)**
Relais	**Relay**
Saut à la perche	**Pole vault**
Saut en hauteur	**High jump**
Saut en longueur	**Long jump**
Slalom	**Slalom (CA)**
Softball (variante du base-ball)	**Softball (SB)**
Sports aquatiques	**Aquatics (AQ)**
Sprint	**Sprint (CS)**
Tennis de table	**Table Tennis (TT)**
Tennis	**Tennis**
Tir à l'arc	**Archery (AR)**
Tir	**Shooting (SH)**
Triple saut	**Triple jump**
Voile	**Yachting (YA)**

Volley-ball (en salle)	**Indoor Volley (VY)**
Volley-ball	**Volleyball (VB)**
VTT	**Mountain Bike**
Water-polo	**Water Polo (WP)**

Abréviations officielles

AQ	Sports aquatiques
AR	Tir à l'arc
AT	Athlétisme
BB	Base-ball
BD	Badminton
BK	Basket-ball
BV	Beach-Volley
BX	Boxe
CA	Slalom
CK	Canoé/kayak
CM	VTT
CS	Sprint
CT	Course de poids lourds
CY	Cyclisme
DV	Plongeon acrobatique
ED	Dressage
EJ	Jumping
EQ	Equitation
ET	Cross-country
FB	Football
FN	Escrime
GA	Gymnastique artistique
GR	Gymnastique rythmique et sportive
GY	Gymnastique
HB	Hand-ball
HO	Hockey sur gazon

JD	Judo
MP	Pentathlon
RO	Aviron
SB	Softball
SH	Tir
SW	Natation
SY	Natation synchronisée
TE	Tennis
TT	Tennis de table
VB	Volley-ball
VY	Volley-ball (Indoor)
WF	Libre
WG	Lutte gréco-romaine
WL	Haltérophilie
WP	Water-polo
WR	Catch
YA	Voile

Les mots du sport

booth: guichet
bowl: coupe (tournoi)
break: mi-temps
champion : champion
championship : championnat
closing ceremonies: cérémonies de clôture
coach: entraîneur
competition: compétition
court: court, terrain de jeu
crack: as, crack
defeat: défaite
defense: défense
delay: retard
facility: installation
field: terrain

final: finale
finish (line): ligne d'arrivée
first half: première mi-temps
goal: but
goal line : ligne de but
goal scorer : buteur
jersey: maillot
medalceremony: cérémonie des médailles
miss: coup manqué
olympic champion: champion olympique
olympic flame: flamme olympique
olympic sites: site olympique
opening ceremonies: cérémonies d'ouverture
overtime: prolongations
pitch (base-,softball): lancer
throw: lancer
preliminaries, preliminary round: premier tour
preliminary heat: course éliminatoire
qualifying round: qualifications
quarter final: quart de finale
racing, race: course
umpire, referee, judge: arbitre
reserve: remplaçant
roster: composition de l'équipe
scoreboard: tableau d'affichage
semi final: demi-finale
squad: équipe
tie: (match) nul
time out: arrêts de jeu
tournament: tournoi
track: couloir
venue: lieu de l'événement sportif

LA MÉTHODE ASSIMIL®

Nos 36 langues sont disponibles chez votre libraire

Allemand • Américain
Anglais • Arabe • Basque • Brésilien
Breton • Chinois • Coréen • Corse • Créole
Danois • Espagnol • Espéranto • Français • Grec
Hébreu • Hindi • Hongrois • Indonésien
Italien • Japonais • Latin • Néerlandais
Norvégien • Occitan • Polonais
Portugais • Roumain • Russe
Serbo-croate • Suédois • Tchèque
Thaï • Turc • Vietnamien

Tous ces cours sont accompagnés d'enregistrements sur cassettes
ou sur CD audio. Dans certaines langues,
des cours de perfectionnement sont également disponibles.

Renseignez-vous auprès de votre libraire.

L'ASSIMILATION INTUITIVE

Comment avez-vous appris à parler ? En fait, vous ne le savez pas vous-même. Vous avez écouté, compris progressivement vos parents, et peu à peu, après avoir assimilé la signification des sons, puis des mots, puis des associations de mots, vous vous êtes lancé et avez commencé à émettre des sons, des mots, des phrases.

C'est ce processus évident qu'**ASSIMIL** applique en l'adaptant, bien sûr, à l'intelligence de l'adolescent ou de l'adulte.

Dans un premier temps, nous vous familiariserons directement avec la langue étudiée. Cette immersion est quotidienne et demande 20 à 30 minutes d'attention. À partir de la moitié du livre, vous serez dans la situation de l'enfant qui a accumulé assez de vocabulaire et d'automatismes pour s'exprimer ; comme lui, vous commencerez à concevoir et à former des phrases en reprenant de façon active le début du cours.

Et, à votre émerveillement, cela sera évident, facile ! Vous aurez alors assimilé et vous commencerez à penser spontanément dans la langue étudiée.

Vous continuerez alors cette phase active jusqu'à la dernière leçon. Ainsi un livre de 100 leçons sera assimilé en cinq mois environ pour les langues les plus courantes. Le résultat sera une langue bien apprise que vous pourrez utiliser et développer sans efforts ni hésitations.

LEXIQUE

Cet index alphabétique reprend les termes employés dans ce guide. Chaque mot est suivi du numéro de la page où il apparaît.

98

Achevé d'imprimer en décembre 1996
sur les presses de l'Imprimerie De Beurs à Anvers.